LE PÉCHEUR ET LA PÉNITENCE
AU MOYEN ÂGE

LE PÉCHEUR
ET LA PÉNITENCE
AU MOYEN ÂGE

Textes choisis, traduits et présentés
par Cyrille VOGEL
*Professeur à la faculté de théologie
catholique de l'Université de Strasbourg.*

LES ÉDITIONS DU CERF
29, BOULEVARD LATOUR-MAUBOURG
PARIS-VIIe

PRÉSENTATION

I

AVANT-PROPOS

Le présent volume prend la suite de « Pécheur et pénitence dans l'Église ancienne » publié voici peu. Le lecteur ne se sera pas mépris sur les intentions de l'auteur.

Il ne s'agissait pas de rassembler à propos de la pénitence ou, plus exactement, à propos de l'institution pénitentielle, des morceaux choisis destinés à l'édification : les documents relatifs à la discipline pénitentielle sont rarement édifiants. Il s'agit de présenter une sélection de textes majeurs qui nous permettent de comprendre comment s'est développée l'institution qui, dans l'Église, est destinée à procurer au pécheur la rémission des fautes graves commises après le baptême.

Il n'entre en rien dans les intentions de l'auteur de suggérer une quelconque restauration de l'une ou l'autre forme historique prise par la pénitence au cours des siècles. Restaurer ou même rénover une institution, si celle-ci n'est pas adaptée à la réalité, se solde habituellement par un échec. L'on se souvient de la tentative carolingienne. La remise en état du processus pénitentiel, si elle doit se faire, devra correspondre, pour avoir quelque chance d'aboutir, aux données concrètes de la vie du chrétien d'aujourd'hui, aux déplacements d'accent en matière éthique et à la sensibilité religieuse différente, sans doute aucun, de ce qu'elle a été dans le passé.

Nos sources s'accordent pour nous apprendre qu'au cours des siècles, l'Église latine a connu essentiellement *trois* régimes pénitentiels, donc trois manières privilégiées d'annoncer au pécheur que la miséricorde de Dieu lui était acquise : le régime de la pénitence antique, celui de la pénitence tarifée, enfin celui de la « confession » actuelle. Si l'annonce du pardon de Dieu par l'Église est une donnée permanente du message évangélique, la *manière* de signifier ce pardon a varié, et rien ne paraît s'opposer à l'apparition d'une ou plusieurs formes nouvelles.

Dans cette perspective, un mot seulement sur l'aveu des fautes qui aujourd'hui résume la pénitence. Avant que n'apparaisse le système actuel, c'est-à-dire avant le déclin du XIIe siècle et les premières décennies du XIIIe, il serait faux de voir dans la « confession » l'élément essentiel du processus de la pénitence. Il serait plus faux encore d'y voir une pratique spécifiquement chrétienne.

Certes, à l'époque de la pénitence antique, quand il allait trouver l'évêque pour solliciter son admission dans l'ordre des pénitents, le pécheur lui faisait part, à n'en pas douter, de la raison qui motivait sa démarche. L'essentiel cependant n'était pas là. Ce sont les trois temps successifs et la convergence entre les prières de l'Église et celles de la communauté à chacune de ces trois étapes, qui constituent la pénitence antique.

Pour que puisse s'appliquer la pénitence tarifée, l'aveu circonstancié était une *condition* indispensable, mais l'essentiel était ici la taxation précise de chaque faute imposée au pécheur ; l'aveu est le *moyen* qui rendait possible cette taxation expiatoire, mais non une fin en soi. La « confession » ne résume pas la pénitence tarifée.

Lorsque pour des raisons qui seront indiquées, l'expiation pénitentielle viendra à disparaître dans la pénitence tarifée, l'accent se reportera d'une manière exclusive sur l'aveu. A partir de ce moment, la « confession » sera considérée comme l'œuvre essentielle accomplie par le pénitent, en raison, disent nos textes, de la honte et de l'humiliation qui s'y attache ; mais c'est là une manière de voir « moderne », laquelle apparaît à la fin du XIIe siècle seulement.

Enfin, l'on évitera soigneusement de confondre l'aveu qui se fait dans le cadre pénitentiel avec l'aveu considéré comme une thérapeutique ou comme une technique d'ascèse spirituelle. Bien avant le christianisme et dans des civilisations certainement situées hors de son influence, les maîtres spirituels avaient reconnu la valeur psychologique de la confession. « Dire » ses fautes, et surtout les fautes sexuelles, à une personne qualifiée libère la conscience, purifie l'âme et l'affranchit des forces magiques et de toute emprise néfaste. On trouvera, à titre documentaire, en appendice à nos textes chrétiens, des spécimens de confessions non chrétiennes choisis entre d'autres. Le sikh se confesse à son guru, le moine bouddhiste ou jaïniste à son Maître, la femme shilluk en couches à son accoucheuse, tout comme le moine chrétien à son père spirituel. Car les directeurs de conscience chrétiens n'ont pas manqué d'inclure l'aveu répété, complet et circonstancié parmi leurs techniques d'épuration spirituelle. Que l'on songe à Cassien et à l'École de Marseille, ou de Lérins, en Occident.

Or, cette confession n'a rien de commun avec l'aveu *pénitentiel*, à moins de confondre institution pénitentielle et direction spirituelle : elle se fait à un ami, à un ancien, à un maître vénéré, voire au médecin. « Confession » qui libère et dénoue les conflits intimes, au moins dans certains cas et pour certains individus, mais ici l'Église n'intervient pas comme telle. Si la libération intérieure est acquise, elle l'est sans pénitence et sans absolution.

II

INTRODUCTION

---

1. LA PÉNITENCE TARIFÉE

2. LES DEUX PÉNITENCES
A L'ÉPOQUE CAROLINGIENNE

3. LA NAISSANCE
DU SYSTÈME PÉNITENTIEL ACTUEL

4. LES TROIS MODALITÉS
DE LA PÉNITENCE

INTRODUCTION

Deux réactions contradictoires

Au mois de mai de l'année 589, les évêques d'Espagne et de la Gaule narbonnaise, réunis en concile à Tolède, expriment leur indignation à propos d'une pratique pénitentielle introduite voici peu dans certaines de leurs églises, et inconnue jusque-là :

« Nous avons appris que certaines gens, dans certaines régions d'Espagne, faisaient pénitence pour leurs fautes, non conformément aux prescriptions canoniques, mais d'une manière indigne, à savoir, chaque fois qu'ils ont péché, ils réclament l'absolution sacerdotale. C'est pourquoi, en vue de mettre fin à une si exécrable et présomptueuse manière d'agir, le saint concile a ordonné ce qui suit. On donnera la pénitence selon les formes officielles anciennes : le pécheur qui se repent de ses péchés devra d'abord recevoir à plusieurs reprises l'imposition des mains, dans l'ordre des pénitents ; il lui est interdit de communier. Une fois son temps d'expiation achevé, suivant le jugement de son évêque, il sera réadmis à la communion eucharistique. Quand à ceux qui retombent dans leurs fautes durant leur temps de pénitence ou après qu'ils aient été réconciliés, ils seront punis sévèrement suivant ce que prescrivent les anciens canons (concile de Tolède, 589, c. 11). »

Dans les années 644-656, les évêques du royaume de Clovis, c'est-à-dire ceux de la Neustrie et de la Bourgogne, réunis à Chalon-sur-Saône, en l'église de Saint-Vincent, et appartenant aux provinces ecclésiastiques de Lyon, de Vienne, de Rouen, de Sens et de Bourges, se déclarent au contraire unanimes pour louer le nouvel usage de faire pénitence :

« En ce qui concerne la pénitence à accomplir pour les

péchés — pénitence qui est le remède (*ou* la moelle, *suivant certains manuscrits*) de l'âme — nous estimons qu'elle est utile à tous. Les évêques, à l'unanimité, souhaitent qu'aux pécheurs, à chaque fois qu'ils se confessent, soit imposée une pénitence expiatoire (concile de Chalon-sur-Saône, 644-656, c. 8). »

Les Pères de Tolède et ceux de Chalon parlent un langage fort différent, leurs réactions sont opposées, mais ils ont en vue une même pratique pénitentielle, inconnue jusque-là sur le continent. Ce nouvel usage porte le nom de pénitence tarifée.

Un nouvel usage pénitentiel

Il est né et s'est développé dans les monastères celtes et anglo-saxons, d'où le nom de pénitence insulaire qui lui est donné parfois. Les chrétientés insulaires semblent n'avoir jamais connu la pénitence antique et, comme en d'autres domaines, avaient développé une institution originale. Que les coutumes monastiques et certains usages civils de la composition légale (wergeld) n'y soient pas étrangères, paraît évident. Nous avons sur l'absence de toute pénitence officielle en ces régions le témoignage formel du Pénitentiel, dit de Théodore (vers 690-740) : « Il n'y a pas de réconciliation publique dans ce pays, pour la raison bien simple qu'il n'y a pas non plus de pénitence publique (*Pénitentiel de Théodore*, I, 13, 4 ; w. 197). »

Grâce aux efforts des missionnaires venus des îles, surtout grâce à S. Colomban et à ses disciples, la pénitence tarifée passa sur le continent et y fut propagée. L'aire d'extension continentale du nouvel usage suit très exactement les pérégrinations missionnaires des moines scots. Leur route conduit, comme on sait, des régions de la Neustrie et de l'Austrasie, vers l'est (Luxeuil) et les pays rhénans, jusque en Italie du Nord (Bobbio). Les pays au sud de la Loire ne semblent pas avoir été touchés, exception faite pour les terres relevant de l'Église d'Espagne, avant la fin du IXe siècle, par la nouvelle discipline, à laquelle un sort prodigieux allait être réservé. Il n'est pas exagéré de dire que la pénitence tarifée opéra une rupture radicale avec l'antiquité et avec la manière de concevoir, dans la vie quotidienne, les rapports entre Dieu et le pécheur, entre le pécheur et l'Église. Le nouveau système par là a contribué grandement à forger une spiritualité nouvelle, qui se survit encore de nos jours.

1. LA PÉNITENCE TARIFÉE

La rupture avec la pénitence antique

L'on ne saurait mieux décrire le nouvel usage qu'en le comparant avec la discipline antique. L'on se souvient que la pénitence antique était sous le contrôle direct de l'évêque : c'est lui, et lui seul, qui admettait le pécheur au rang des pénitents — le plus souvent au début du Carême — et c'est aussi lui qui le réconciliait le Jeudi saint. Le *processus* pénitentiel antique était public, mais non pas l'aveu des fautes, lequel intervenait dans une forme que nous ignorons, devant l'évêque au moment où le pécheur allait solliciter son admission parmi les pénitents. La publicité provient du caractère essentiellement communautaire et ecclésial de la pénitence antique : rites solennels et imposants de l'admission, place et traitement spécial des pécheurs durant leur stage d'expiation, cérémonial de la réconciliation devant l'assemblée réunie. La communauté était explicitement invitée à prier, à pleurer, à gémir pour et avec les pénitents.

L'on sait aussi que le pécheur ne pouvait accéder qu'une fois dans sa vie à la pénitence — si son âge et les circonstances familiales ou sociales le lui permettaient — que, même réconcilié, il restait marqué jusqu'à la fin de ses jours par les interdits pénitentiels. A cause des séquelles qu'entraînait l'entrée en pénitence, le pécheur, même réadmis à la communion eucharistique, acceptait la mort civile et sociale et la rupture de fait de la communauté conjugale : interdiction de vivre une vie matrimoniale normale, défense de se marier ou de se remarier, défense d'occuper des charges publiques, d'ester en justice, d'exercer un commerce, interdiction enfin d'accéder à la cléricature supérieure (diacre, presbytre et évêque).

La pénitence antique restait inaccessible aux pêcheurs des deux sexes encore jeunes, et à tous ceux qui, en raison de leur situation sociale ou familiale, ne pouvaient satisfaire aux conditions d'entrée. Les conciles interdisaient formellement à ces pêcheurs de se présenter à la pénitence, en raison d'une réincidence dans le péché après la réconciliation ; dans ce cas l'Église ne pouvait plus rien pour ses fidèles malheureux. Les clercs ne pouvaient, quant à eux, bénéficier de la pénitence et de la réconciliation : cléricature et pénitence s'excluent par définition. En fait, les pêcheurs, c'est-à-dire tous les fidèles, fuyaient la pénitence et ne se faisaient réconcilier que sur leur lit de mort ; l'absolution *in extremis* constituait, de longs siècles durant, le sacrement des mourants.

Selon la nouvelle discipline, au contraire, tous les pêcheurs, clercs ou laïcs, pouvaient se faire réconcilier et cela autant de fois qu'ils avaient péché. Le pêcheur s'adressait en privé au prêtre — et non plus seulement à l'évêque. Le pardon divin était censé être obtenu quand les taxes pénitentielles (jeûnes, aumônes, etc.) étaient acquittées. Normalement, à la fin du jeûne pénitentiel, la réconciliation — l'on commence à dire l'absolution — intervenait, sans que les pêcheurs absous fussent chargés d'interdits pénitentiels quelconques. Tout le processus tarifé demeurait secret : il n'est plus question d'ordre de pénitents, d'habits spéciaux, de place particulière aux offices, de cérémonies se déroulant devant l'assemblée réunie.

Rien ne différait donc davantage de la pénitence antique que la pénitence insulaire, et l'on comprend aisément le scandale ressenti par les Pères de Tolède et leur indignation : l'innovation était totale et le caractère anticanonique de la nouvelle pratique absolument évident. Mais l'on comprend aussi l'attitude des pasteurs réunis à Chalon-sur-Saône, plus soucieux de pastorale et du bien spirituel de leurs fidèles, selon une vocation déjà ancienne dans l'Église des Gaules. Que l'on songe, par exemple, à l'attitude de Césaire, évêque d'Arles, d'Avit, évêque de Vienne, aux controverses passionnées autour de l'efficacité de la réconciliation accordée aux mourants. Sans oser s'affranchir de l'antique discipline, les pasteurs gallo-romains avaient créé un terrain favorable à l'adoption de l'usage nouveau.

La taxation des fautes

L'originalité de la pénitence importée des îles réside dans la *taxation* précise des fautes. Ces tarifs pénitentiels nous sont conservés dans des recueils dits Livres pénitentiels ou Pénitentiels, catalogues d'étendue et qualité très diverses, souvent confus. L'on rechercherait en vain dans ces documents une classification systématique des fautes — celle-ci n'interviendra qu'avec la scolastique. Les titres intercalés entre les séries de canons pénitentiels ne correspondent guère au contenu. Mais les péchés ou délits, des péchés les plus graves aux interdits alimentaires et aux prescriptions hygiéniques, s'y trouvent détaillés avec un luxe étonnant de particularités hautes en couleur. L'on s'en rendra compte en lisant les pénitentiels figurant dans la seconde partie de ce volume.

Chaque péché est affecté d'une pénitence précise. Cette taxe pénitentielle consiste en mortifications plus ou moins dures et plus ou moins longues (mortifications corporelles, veilles prolongées, récitation de prières, principalement de psaumes), mais surtout en jeûnes de nature variée (privation de vin et de bière, de viande, de graisses, jeûne au pain et à l'eau, xérophagie) de durée variable (jours, mois et même années). « Faire pénitence » dans la terminologie des Livres pénitentiels signifie « jeûner » pendant une période plus ou moins longue ; il n'est pas rare de trouver des tarifs de quarante jours de jeûne, d'un an, de quinze ans ou plus.

Il ne peut être question d'analyser ici ces listes, d'un intérêt extrême pour l'histoire de la morale comme pour l'histoire des mœurs de l'époque où nos livrets furent rédigés. Les catalogues de péchés, pas plus que ceux établis par Césaire d'Arles ou par Julien Pomère, ne correspondent aux listes pauliniennes ou néotestamentaires, ou aux listes des péchés « capitaux » des auteurs spirituels de l'antiquité, ni bien entendu à un classement inspiré d'une analyse systématique quelconque. Les fautes relatives au comportement sexuel des laïcs et des clercs occupent une place de choix, dès les plus anciens pénitentiels arrivés jusqu'à nous, à côté des violences (meurtres, homicides, blessures) et des vols, surtout des vols de biens d'église. Leur énumération donne lieu bien souvent à une casuistique très développée, réaliste et parfois déplaisante.

Parmi les pénitences imposées, l'on relève à côté des jeûnes, les amendes pécuniaires à verser à une église ou à un monastère, par imitation avec la composition légale du droit germanique (wergeld), l'interdiction à temps des rapports conjugaux, les pèlerinages aux tombes saintes et, dans les cas les plus graves, l'exil temporaire ou définitif.

Les tarifs varient avec les livrets : la même faute n'est pas taxée partout avec la même sévérité. L'on a relevé dans les recueils dits théodoriens un certain laxisme en matière matrimoniale.

L'origine des pénitentiels, et de la pratique qu'ils supposent, est à chercher non sur le continent (ni surtout à Rome), mais dans les monastères d'Irlande, d'Angleterre ou d'Écosse. Les plus anciens datent du milieu du VIe siècle. Au VIIIe siècle, les missionnaires venus des îles transportent leurs livres sur le continent, dans leurs bagages. Là nos pénitentiels se multiplient, s'amalgament et se diversifient à l'extrême. L'histoire littéraire de ces petits livrets en usage dans les églises mérovingiennes et carolingiennes, d'une complexité rare, est loin d'être écrite.

Le processus pénitentiel tarifé

Le déroulement pratique de la pénitence selon le mode insulaire se laisse retracer aisément grâce aux indications fournies par les pénitentiels eux-mêmes :

1. Le pécheur va trouver son confesseur chaque fois qu'il a péché (les grands personnages disposent déjà d'un confesseur attitré, de même les armées en campagne). Il fait un aveu détaillé et se voit imposer sa taxe. La « confession » se fait soit spontanément, soit le plus souvent au moyen d'un

questionnaire. Le confesseur interroge le pénitent en suivant le pénitentiel qu'il a entre les mains. Les taxes correspondant à chaque péché s'additionnent suivant le nombre et la gravité des péchés commis et consistent, nous l'avons dit, principalement en jeûnes.

2. A lire les plus anciens pénitentiels, il semble que le pardon est acquis *ipso facto* quand le pécheur a accompli les pénitences imposées. Il n'y est en effet question de réconciliation ni immédiate ni différée ; il y aurait donc une sorte d'échange élémentaire entre expiation et rémission, un *do ut des* assez primitif. Mais en nous reportant aux rituels de la pénitence tarifée annexés à certains de nos livrets, nous voyons qu'en principe le pécheur se retire après la taxation, accomplit les jeûnes et revient *une seconde fois* auprès de son confesseur pour recevoir l'absolution. Ce terme finit par remplacer le vocable antique de réconciliation. Quand le pécheur est malade ou, suivant les termes de certains pénitentiels, tellement fruste et grossier qu'il ne comprend pas, ou que le chemin est trop long et la saison mauvaise, le confesseur, après l'aveu, récite immédiatement les prières absolutoires.

L'ensemble de cette « action » pénitentielle, de l'aveu à l'acte absolutoire, prend un temps assez long, environ vingt à trente minutes pour chaque pénitent.

L'on aurait tort d'imaginer, dans la pratique de tous les jours, un heurt quelconque, une lutte ou un conflit entre le système insulaire et l'ancienne discipline pénitentielle. Il convient de se souvenir que les exigences très dures et les interdits inhérents à la pénitence antique, de même que les règlements ecclésiastiques, écartaient de la réconciliation officielle la majorité des pécheurs, fussent-ils de bonne volonté, et avaient créé un « vide pénitentiel ». Dès avant la fin de la période antique, la seule réconciliation à laquelle pouvaient prétendre les fidèles était la réconciliation conférée sur le lit de mort. En dehors de la pénitence antique et avant la diffusion du système tarifé, l'Église ne connaissait pas d'autre moyen de *garantir* le pardon divin au pécheur repentant. Il y avait bien deux autres voies pour obtenir la rémission des péchés, en dehors de la discipline officielle ; ni l'une ni l'autre ne pouvaient passer pour plus commodes que la pénitence antique.

Profession monastique et pénitence

La profession monastique d'abord. Le moine ou la religieuse qui avait renoncé à la vie séculière obtenait, croyait-on, de plein droit la rémission des péchés commis après le baptême, le jour même de la consécration officielle au service de Dieu. Comme l'entrée en pénitence, l'entrée en religion était, aux regards des contemporains de saint Augustin ou de saint Césaire, une sorte de second baptême. Un sermon anonyme adressé aux moines nous le dit clairement :

« On donnera la pénitence au laïc qui vit dans le monde et dont les épaules ploient encore sous le joug du siècle... A celui qui entre en religion, la pénitence publique n'est pas nécessaire, car par sa profession même il a conclu un pacte éternel avec Dieu. Les péchés qu'il a commis dans le monde sont oubliés à partir du jour où le religieux a promis de mener une vie consacrée à Dieu. Après l'engagement écrit qu'il a pris de servir désormais Dieu seul, même s'il a péché auparavant, après ce deuxième renoncement à Satan (le premier ayant eu lieu au baptême), le moine n'hésitera pas à recevoir le Corps et le Sang du Seigneur. Il ne faut pas que, sous prétexte d'indignité, il reste trop longtemps séparé du Corps et du Sang de celui auquel il s'est uni pour ne former qu'un seul corps » (Sermon anonyme aux moines, PL 58, 875-876).

« Conversion » et pénitence

Les convers et les converses sont eux aussi dispensés de se soumettre à la pénitence officielle car ils sont pratiquement assimilés aux religieux. Ce sont des hommes et des femmes qui, sans entrer dans une communauté monacale, continuent de vivre au sein de leurs familles ou, en un lieu librement choisi, vaquent à leurs occupations habituelles, mais qui vivent une existence mortifiée, dans la continence et la chasteté totale. Il s'agit d'un tiers-ordre. Rien ne s'opposait à ce que l'épouse continuât de vivre avec son mari, si les deux s'étaient fait convers et s'ils s'abstenaient de tout contact intime. Nous connaissons un certain nombre de ces ménages de convers. Parmi eux figurent souvent les clercs majeurs, évêques, prêtres ou diacres, ordonnés *après* leur mariage et contraints, à partir de ce jour, dans l'Église latine, à vivre dans la continence, mais non à se séparer de leurs femmes. Or, l'on attribuait à cette « conversion » les mêmes effets qu'à l'entrée en religion : l'une et l'autre procurait d'une manière extrapénitentielle le pardon des fautes :

« Nous ne nions pas que les fautes mortelles puissent être remises par une expiation privée : mais à condition d'abandonner la vie séculière, de se faire convers... et de servir Dieu par une vie mortifiée » (Gennade de Marseille, *Des dogmes de l'Église*, c. 53).

Ces deux succédanés, comme on voit, exigeaient la chasteté et la continence et aussi un certain éloignement des affaires. C'étaient là des obstacles suffisants pour rebuter les pécheurs.

Il ne restait donc aux fidèles que l'espoir d'une réconciliation sur le lit de mort, après une vie où une autre absolution n'avait pas et ne pouvait pas avoir de place.

Le désert spirituel

Le désert pénitentiel était donc absolu. Une réflexion du moine Jonas, le biographe de saint Colomban, illustre parfaitement la situation en Gaule — et il ne devait pas en aller différemment dans les autres pays d'Occident :

« Les remèdes de la pénitence et l'amour de la mortification n'existaient plus guère dans ces régions » (Jonas, *Vie de saint Colomban*, c. 11).

C'est un constat de faillite. L'on comprend, dès lors, combien la discipline insulaire pouvait facilement s'implanter dans nos régions. La pénitence tarifée apportait aux fidèles la garantie du pardon chaque fois qu'ils avaient failli gravement, garantie que la pénitence antique ne donnait qu'une fois, d'ordinaire à l'article de la mort seulement. L'évêque et les prêtres, soucieux de subvenir au bien spirituel de leur troupeau, y trouvaient un adjuvant précieux : le remède ou la substance même des âmes, avaient dit les Pères de Chalon.

Il ne restait pas moins que la pénitence tarifée rompait entièrement avec la pénitence traditionnelle et cette rupture, qui avait scandalisé en son temps les évêques espagnols réunis à Tolède, allait quelques siècles plus tard rebuter encore les réformateurs carolingiens.

2. LES DEUX PÉNITENCES A L'ÉPOQUE CAROLINGIENNE

Tentatives de restauration

Les réformateurs carolingiens, nous voulons parler ici des clercs groupés autour de Chrodegang de Metz († 766), de Remigius (Remedius) de Rouen († 772) et d'Alcuin († 804), se sont donné pour tâche de restaurer la discipline et la vie religieuse dans tous les domaines. La série des conciles réformateurs des années 813 et 829 devait consacrer dans la vie quotidienne les efforts entrepris. C'est ainsi que l'on voit apparaître diverses tentatives : révision du texte de la Bible, unification de la liturgie dans le sens romain, application plus stricte de la Règle bénédictine dans les monastères, adoption de la collection canonique de la *Dionysio-Hadriana* et, enfin, restauration de la pénitence.

Nous n'avons pas ici à apprécier le succès de ces efforts ; des analyses, encore en cours actuellement, tendent à nuancer le jugement trop simpliste que l'on a porté parfois sur la « renaissance » carolingienne. Toutes nos sources s'accordent pour nous faire admettre que les réformes se sont soldées par des demi-échecs.

En ce qui concerne la discipline pénitentielle, rien n'était plus étranger à l'antique usage que la pénitence tarifée ; nos réformateurs ne l'ignoraient pas. L'on ne s'étonnera donc guère de les voir réclamer la restauration de l'ordre ancien et vouer aux flammes les livres pénitentiels, ces tarifs qui codifient l'intolérable nouveauté. Mises en garde et anathèmes se succèdent ; l'on en appellera à l'empereur pour obtenir satisfaction :

« Presque partout la pénitence antique est sortie d'usage, et pour donner la réconciliation, l'on ne se conforme plus aux règlements anciens. Nous en appelons à l'empereur et à son aide... » (Concile de Chalon-sur-Saône, 813, c. 25).

« Il faut imposer la pénitence suivant les canons anciens, comme il a été dit... Il faut rejeter et éliminer complètement ces livrets qu'on appelle les pénitentiels, dont les erreurs sont aussi évidentes que leurs auteurs sont peu dignes de confiance » (concile de Chalon-sur-Saône, 813, c. 38).

« De nombreux prêtres, par négligence ou par ignorance... n'imposent plus la pénitence suivant les prescriptions canoniques ; ils se servent de livrets dits pénitentiels... Il nous a semblé utile que chaque évêque fasse rechercher dans son diocèse ces livrets pleins d'erreurs et qu'il les fasse brûler pour qu'à l'avenir des prêtres ignares ne s'en servent plus pour tromper les gens » (Concile de Paris, 829, c. 32).

Ce n'est peut-être pas tellement au principe même de l'expiation tarifée qu'en avaient les réformateurs, qu'au caractère anticanonique de la manière de procéder, telle que l'accréditaient les pénitentiels.

La « *dichotomie* » *pénitentielle*

Or, dans ce domaine, comme dans les autres, la tentative carolingienne fut un demi-échec. La conséquence en fut une *dichotomie* en matière pénitentielle qui va commander pour de longs siècles — jusqu'à la fin du XIIe siècle — le déroulement de la pénitence dans l'Église. Un demi-échec sinon un échec complet, car jamais davantage que sur la fin du VIIIe siècle et dans les premières décennies du IXe, l'on n'assiste à une floraison aussi étonnante de livres pénitentiels. C'est l'époque où le continent prend la relève des îles et que prolifèrent les manuscrits. L'on y verra à juste titre la preuve, contre laquelle les imprécations conciliaires ne valent pas, que non seulement le système nouveau ne se laisse plus éliminer, mais qu'il gagne du terrain et s'implante définitivement. Seules peut-être font exception les régions qui ne furent pas touchées par la prédication des missionnaires scots, telles l'Aquitaine. Alcuin con-

naît des communautés du sud de la Loire où l'on refuse de se
« confesser », non par manque de ferveur, mais par fidélité à
la tradition.

Le demi-échec prend curieusement la forme d'un bipartisme
pénitentiel, si l'on veut bien nous permettre ce mot. Avec les
carolingiens, et seulement à partir de cette époque, apparaît
en effet la distinction restée célèbre : *à péché grave public,*
pénitence publique, c'est-à-dire accomplie selon le mode ancien ;
à péché grave occulte, pénitence secrète, c'est-à-dire accomplie
suivant le système de la pénitence tarifée. La même faute est
donc susceptible d'un double traitement, suivant la notoriété
dont elle s'accompagne. Par là s'explique un fait qui, à première
vue, semble une anomalie : suivant que l'on se réfère aux
Capitulaires et aux collections canoniques — lesquels ne connaissent par définition que les fautes venues à la connaissance
de l'autorité — ou que l'on se réfère aux pénitentiels en usage à
la même époque, l'expiation est différente. Théodulfe, évêque
d'Orléans († 821) est fort explicite à ce sujet :

« [Ce que nous disons des peines infligées selon les anciens
canons] s'applique à ceux qui font publiquement pénitence
pour une faute publique. Si au contraire la même faute est
demeurée cachée et que le coupable s'est adressé en secret
au prêtre, à condition d'avoir fait une confession sincère, il fera
pénitence suivant la décision du confesseur... Ainsi, si un prêtre
a commis un adultère (fornication) et que le forfait est de
notoriété publique, il sera déposé de son ordre et soumis durant
dix ans à la pénitence publique. Mais si son acte de fornication
est resté caché aux yeux des gens, il ira en secret se confesser et
recevra une pénitence occulte. » (Théodulfe, *Capitulaire,* PL
105, 215 A et D).

Deux manières de faire pénitence

Il y aura donc, à partir du IXᵉ siècle deux manières de faire
pénitence officiellement dans l'Église. L'une, suivant le mode
insulaire, dont relèvent les pécheurs dont les fautes graves
sont restées secrètes, l'autre suivant un processus public, pour

les mêmes fautes, mais qui ont fait scandale. Cette pénitence publique qui, de plus en plus, prend le caractère d'une peine coercitive, n'a plus, depuis l'époque carolingienne, qu'une lointaine ressemblance avec la pénitence antique telle que l'avaient connue les contemporains de saint Augustin ou de saint Césaire d'Arles. Le rituel en est connu : c'est celui qui figure pour la première fois dans le sacramentaire dit Gélasien ancien (*Vat. Reg.* 316), et que nous avons reproduit dans le volume précédent. L'on se souvient que l'action pénitentielle prévoit, d'après le Gélasien ancien, la réclusion du coupable. Et l'on ne s'étonnera pas trop de voir les évêques invoquer le pouvoir civil pour contraindre les récalcitrants à se soumettre à la pénitence publique. Ainsi parmi d'autres, les conciles de Chalon-sur-Saône (813), c. 25 et de Tours (813), c. 41.

Les rites de la pénitence publique sont *définitivement* fixés pour tout le Moyen Age et jusqu'à l'époque contemporaine (le *Pontificale Romanum* a accueilli le cérémonial pénitentiel public), dans le Pontifical romano-germanique du Xe siècle (vers 960), et dans les règlements de Réginon de Prum († 915) ; pour l'essentiel le rituel du sacramentaire Gélasien ancien est maintenu.

3. *LA NAISSANCE DU SYSTÈME PÉNITENTIEL ACTUEL*

La pénitence tarifée est l'ancêtre direct de la pénitence sacramentelle en usage encore maintenant dans l'Église latine ; elle ne s'identifie cependant pas avec notre sacrement de pénitence. Trop de divergences séparent les deux systèmes pour qu'il soit possible de les assimiler l'un à l'autre, à moins de simplifier à l'extrême. Il faudra attendre la fin du XIIe siècle pour qu'un nouveau regroupement pénitentiel — tripartite cette fois — s'opère et que naisse, à ce moment-là, ce qui est encore notre usage.

Dressons un bilan. Et d'abord les ressemblances du système tarifé avec la pratique qui est la nôtre. Les livres pénitentiels rompent avec la stipulation fondamentale de la pénitence antique, à savoir la non-réitérabilité. Il est dès le VIe siècle loisible au pécheur de recourir à la pénitence tarifée autant de fois qu'il a péché. Tous y ont accès, clercs et laïcs ; il n'est plus question d'un ordre spécial des pénitents, ni d'interdits marquant de leur empreinte le pécheur même rentré en grâce avec Dieu.

Cependant, dans la discipline tarifée et sauf exceptions (maladie, longueur du trajet, incompréhension ou rusticité du pécheur), l'absolution n'intervient qu'*après* l'expiation, et celle-ci est longue, pénible et minutieusement calculée. Le pécheur, à nous en tenir aux tarifs les plus « avantageux » pour lui, totalise facilement, d'une confession à l'autre, un nombre impressionnant d'années de jeûne. Il y a loin de cette rudesse à l'expiation symbolique actuelle.

En outre, l'aveu des fautes n'a pas la même signification que dans la pratique actuelle. Dans le système tarifé la « confession » était *moyen* indispensable pour permettre la taxation, mais le moyen seulement, l'expiation demeurant l'essentiel. L'on sait qu'actuellement la confession résume le processus pénitentiel, pour ce qui est du pénitent. Nous ne parlons évidemment ici que de l'institution pénitentielle, non de la conversion intérieure sans laquelle aucun processus pénitentiel ne saurait être efficace.

Le rachat pénitentiel

Les rédemptions ou commutations pénitentielles vont ouvrir une première brèche dans le système de la taxation. L'on désigne par ces mots les équivalences permettant de remplacer les longues périodes de jeûnes par d'autres actes moins longs ou moins pénibles pour le pécheur (génuflexions, récitation de psaumes, veilles, aumônes, messes à faire dire, amendes) ou même par les œuvres d'une tierce personne (substitution vicaire par l'entremise d'une personne pieuse, moine ou laïc, jeûnant à la place du pécheur).

Or on sait que par le simple jeu de l'addition des jours ou mois de jeûne, l'on aboutit facilement à des durées totales excédant la durée d'une vie humaine. Voici, à titre d'exemple, deux tarifs choisis parmi les plus accommodants et pour des fautes qui ne semblent pas exceptionnelles.

Le *Pénitentiel du pseudo-Théodore* (vers 690-740) impose pour un acte de fornication 4 ans de jeûne, pour le désir de fornication 40 jours, pour un homicide dans une rixe 10 ans, et pour un parjure 11 ans de jeûne, soit, au total, pour qui s'est rendu coupable de ces méfaits 25 ans de jeûne pénitentiel.

Le *Pénitentiel de Colomban,* type A   (vers 612-615), taxe le pécheur coupable d'un acte auto-érotique d'un an de jeûne, de 40 jours pour une insulte, de 6 mois pour un désir impur, soit un total de 2 ans environ pour une seule confession.

Il est évident que ces tarifs n'ont pas pu être appliqués à la lettre. Aussi bien la plupart des pénitentiels comportent-ils en appendice ou comme prologue, des listes d'équivalences ou commutations et ceci dès les origines. En voici quelques exemples. Le pécheur pourra « racheter » un an de jeûne par 12 fois 3 jours de jeûne continu, ou par la récitation de 3 psautiers ou par 3 000 coups de fouet (conseil de saint Pierre Damien), ou par des génuflexions innombrables. L'on voit des pratiques plus étranges encore : passer quelques jours dans le caveau d'un saint personnage défunt, sans boire, ni manger, en chantant des psaumes, ou se macérer au point d'en arriver au suicide.

Dans les équivalences qui viennent d'être citées il s'agit toujours d'une mortification personnelle substituée à une autre. Mais il est d'autres formes de commutations où l'expiation pénitentielle perd toute signification morale ou religieuse. Or, ce sont les commutations le plus fréquemment conseillées par nos directoires des confesseurs. En voici le détail.

D'abord, les « rédemptions » sous forme de numéraire ; ainsi, par exemple, 3 ans de jeûne sont rachetés par 60 sous-or (*solidi*) ou par le paiement du prix d'un serf ou d'une serve. Ensuite : les rédemptions sous forme de messes que le pécheur fait dire : un an de jeûne est racheté par 30 messes ; 7 ou 12 jours de jeûne par une messe. Et, pour que nul ne l'ignore, les pénitentiels indiquent les tarifs à payer pour chaque messe ; à notre connaissance, ce sont les plus anciennes listes d'honoraires que nous possédions. Les messes dites à des fins pénitentielles ont contribué, vers le IXe siècle, à transformer l'état du religieux.

Pour acquitter, en effet, les messes demandées par les pénitents, il fallait des prêtres en grand nombre et libres de tout autre ministère — ce n'est pas le clergé paroissial qui aurait pu y suffire : les religieux deviennent prêtres. Et nos textes de préciser que « pour son propre compte, le prêtre ne pourra célébrer que 7 (sept !) messes par jour, mais à la demande des pénitents, il pourra en dire autant qu'il le faut, même au-delà de 20 messes quotidiennes (*Pénitentiel a, de Vienne*) ». La messe pénitentielle devint ainsi une source de profit pour le confesseur, c'est-à-dire principalement pour les moines et leurs monastères. Le moine cistercien Césaire de Heisterbach (1180-1240) nous rapporte à ce sujet des exemples peu édifiants.

Enfin pour les pécheurs riches, une autre commutation restait possible : le rachat par tierce personne, comme nous l'apprend le *Pénitentiel du pseudo-Théodore* (vers 830-847) : « Qui ne connaît pas les psaumes, ou qui ne peut pas veiller ou faire des génuflexions ou se tenir les bras en croix ou se prosterner à terre, celui-là choisira un autre qui le fera à sa place, en le payant, car il est écrit : L'un portera le fardeau de l'autre (Gal. 6, 2). »

La substitution expiatoire se prête à des calculs compliqués. L'on nous permettra de rapporter un exemple de cette arithmétique pénitentielle ; nous l'empruntons aux Canons publiés sous l'autorité du roi Edgard (vers 967). Voici comment s'y prendra un homme riche, justiciable de 7 ans de pénitence : il paiera 12 hommes qui jeûneront durant 3 jours à sa place ; ensuite il engagera 7 fois 120 hommes qui feront de même. Comptez avec moi : en l'espace de 3 jours, les 7 ans de jeûne sont rachetés, compte tenu des années bissextiles. En effet : 7 ans = 2 556 jours = (12 fois 3) + (120 fois 7 fois 3). Et notre texte d'ajouter : « Telle est la commutation que peut se permettre un homme riche en biens et en amis. Un pauvre ne peut en faire autant et il devra expier lui-même. Et cela est juste car il est écrit : Chacun portera son propre fardeau ! (Gal. 6, 5) (*Canones sub Edgardo rege*, c. 11). »

Par le jeu des commutations, l'expiation vidée de son sens fut pratiquement éliminée : une satisfaction pénitentielle, si dure qu'elle puisse être en théorie, n'a plus de sens et n'existe plus s'il suffit de donner en échange soit de l'argent, soit des messes ou même la mortification d'une tierce personne.

Nouvelle signification de l'aveu

L'accent, dès lors, se reporte de plus en plus sur un autre élément de la pénitence tarifiée, à savoir l'aveu des fautes, qui finit ainsi par devenir l'essentiel, l'œuvre pénitentielle par excellence. La mutation est accomplie vers la fin du XIIᵉ siècle. La *Lettre* anonyme *à une religieuse sur la vraie et la fausse pénitence* (fin XIIᵉ siècle) explique déjà que l'humiliation et la honte inhérentes à tout aveu constituent par elles-mêmes l'expiation proprement dite. Pierre le Chantre († 1197) trouve la formule définitive : « La confession orale constitue l'essentiel de l'expiation (*Discours abrégé*, c. 143). »

Comme conséquence de ce transfert, une dernière modification du processus pénitentiel pourra intervenir : *l'absolution suivra immédiatement l'aveu* puisque, avec la « confession », l'expiation est déjà accomplie et qu'il n'y a donc plus de raison pour différer le pardon. Le vocabulaire suit l'institution : depuis le VIIIᵉ siècle, de plus en plus, « confession » ne désigne plus seulement l'aveu, mais l'ensemble de l'action pénitentielle, comme encore de nos jours.

La confession aux laïcs

Et l'on assistera à des pratiques étranges, mais émouvantes. La confession, aux yeux des fidèles, s'identifie désormais si bien au sacrement de pénitence qu'en l'absence d'un ministre qualifié de l'Église, le pécheur se confessera, pour être sûr d'être pardonné, à un ami, à un compagnon de route, à un voisin et, s'il est seul, à ce qu'il a de plus précieux, à son cheval ou à son épée.

Les succédanés de la communion eucharistique

De la même manière, si l'Eucharistie lui fait défaut, le fidèle, en guise de viatique, communiera au moyen d'une fleur, d'un brin d'herbe ou encore d'un peu de terre. Les témoignages sur les succédanés de la communion eucharistique rapportés dans nos Chansons de gestes et dans les épopées de l'époque de la chevalerie sont admirables par la foi et la fraîcheur du sentiment religieux qu'ils supposent.

Bègue de Belin se sert de trois brins d'herbe (*Garins li Loherains,* éd. P. Pais, Paris, 1833, II, p. 240) :

« Trois foilles (feuilles) d'erbe a prins entre ses piés
« Si les conjure de la vertu del' ciel
« Por Corpus Deu les reçut volentiers. »

Avant la bataille entre Raoul de Cambrai et les fils d'Herbert, Raoul distribue lui-même l'eucharistie sous forme d'herbe (*Raoul de Cambrai,* éd. Le Glay, p. 95) :

« Mains gentix hom s'i acumenia (reçut la communion)
« De trois pous (pousses) d'erbe, qu'autre prestre n'i a. »

Dans le même texte, Savari, après avoir confessé Bernier, lui administre le sacrement de l'herbe (*op. cit.,* p. 327) :

« Trois fuelles d'arbre maintenant li rompi
« Si les reçut per Corpus Domini. »

Ernoul de Beauvais sent approcher la mort : il se donne la communion sous forme d'un brin d'herbe (*La chanson du Chevalier au Cygne,* II, *Godefroy de Bouillon,* éd. Hippeau, Paris, 1877, p. 222) :

« Il a mis un poil d'erbe, si le prist à seignier (signer, tracer le signe de la croix)
« En sa boche le mist et nom Corpus Dei. »

Élie de Saint-Gilles communie de la même manière le fils du comte Amaury de Poitiers (*Élie de Saint-Gilles,* vers 244-245, éd. G. Raynaud, Paris 1879) :

« Prist une feuille d'erbe, à la bouce (bouche) li mist
« Dieu li fait aconnoistre et ses péciés géhir (confesser ses péchés). »

Le comte Richard s'écrie dans la mêlée (*Renaux de Montau-bans*, vers 26/27, éd. H. Michelant, Stuttgart, 1862, p. 181) :
« Car descendons à terre et si nos confesson
« Et des peus (pousses) de cele erbe nos acomménion (com-munions-nous). »
Gaufrey fait de même (éd. Guessard et Chabaille, *Anciens poètes de la France*, Paris, 1859, vers 573) :
« Puis a pris trois peus (pousses) d'erbe pour aquemuneison (communion). »
Un fidèle compagnon donne la communion au prince avec une fleur (*Estone des Engles*, éd. Fr. Michel, Chroniques anglo-normandes, p. 55) :
« Prist des erbes, od (ôte) tut la flour,
« Un poi en fist au roi mangier
« Issi le quide acuménier (ainsi il pense lui donner la com-munion). »

A la fin de la même époque, les Livres pénitentiels cèdent la place aux Sommes des confesseurs — le dernier en date des pénitentiels est le *Guérisseur ou Médecin* de Burchard de Worms († 1025). Le temps n'est pas loin où, avec la scolastique, une classification stricte des fautes va s'élaborer à partir d'une analyse intrinsèque de l'acte peccamineux — et non suivant le mode d'expiation, comme jusque-là.

4. LES TROIS MODALITÉS DE LA PÉNI-TENCE AU MOYEN AGE

Au même moment où se constitue définitivement l'usage pénitentiel encore en vigueur de nos jours, sur la fin du XIIᵉ siècle et dans les premières années du XIIIᵉ siècle, une réorganisation de la discipline s'accomplit dans l'Église latine. Il n'y aura plus seulement, comme ce fut le cas depuis la réforme carolingienne, deux processus pénitentiels, mais trois. De bipartite, la pénitence deviendra tripartite et le restera longtemps, sans qu'il soit possible de dire exactement quand ce tripartisme a pris fin.

3

Robert de Flamesbury (vers 1207-1215) dans son pénitentiel — qui est en fait une des premières « Sommes des confesseurs » — nous renseigne fort bien sur ce regroupement :

« Il y a trois sortes de pénitence : la pénitence publique solennelle, la pénitence publique non solennelle et la pénitence privée.

La pénitence solennelle est celle qui se donne au début du Carême, quand solennellement l'on prend le cilice et les cendres. On l'appelle aussi publique, car elle se déroule en public.

La pénitence publique non solennelle qui se déroule sans la solennité quadragésimale est dite aussi pèlerinage pénitentiel.

La pénitence privée est celle qui se fait devant le confesseur. »

A nous en tenir à l'ensemble des témoins contemporains, la pénitence s'administre comme suit, étant entendu que les trois variétés du processus aboutissent à la remise effective des péchés commis. A dire vrai, il n'y a pas au Moyen Age une *seule* manière officielle d'obtenir l'absolution des fautes, mais *trois manières* :

1. La pénitence publique solennelle, dont l'administration est réservée à l'évêque, continue la pénitence antique avec toutes ses particularités (entrée en pénitence le mercredi des Cendres, réconciliation le Jeudi saint, défense faite aux clercs de s'y soumettre, non réitérable).

Elle est imposée pour les péchés *publics particulièrement scandaleux* commis par les laïcs (parricides, formes graves de luxure, sacrilèges). Le rituel en est celui que nous connaissons depuis le Pontifical romano-germanique du Xe siècle.

2. La pénitence publique non solennelle : c'est le pèlerinage pénitentiel que peut imposer tout curé de paroisse, suivant un cérémonial assez simple : le curé devant la porte de l'église (souvent appelée « porte des pèlerins ») remet aux partants les insignes de leur état, l'escarcelle et le bâton.

Le pèlerinage pénitentiel, réitérable, est imposé pour les péchés *publics moins scandaleux,* commis par les laïcs, hommes ou femmes (assassinats, vols des biens d'église, etc.) et pour les péchés particulièrement scandaleux commis par les *clercs ma-*

jeurs (diacres, prêtres, évêques) — lesquels, comme on sait, ne peuvent pas être soumis à la pénitence solennelle. Par définition donc, les pèlerins pénitents sont des pécheurs repentis peut-être, des criminels certainement et, pour une large part, des clercs criminels. Les pèlerinages pénitentiels, pour cette raison, ont été le scandale permanent de la chrétienté médiévale : les bandes de pèlerins cheminant de sanctuaire en sanctuaire, théoriquement pour expier leurs forfaits, se livraient en cours de route aux abus que l'on imagine. Lois de l'Église et règlements civils furent impuissants à assainir ces migrations : le vagabondage des clercs y trouve une explication.

Parvenus au sanctuaire qui leur a été désigné par le confesseur, les pèlerins-pénitents pouvaient s'estimer absous de leurs crimes. L'affaire de Milan réglée en 1059 par Pierre Damien est un des exemples les plus connus. La ville sainte et les tombes apostoliques, qui figuraient parmi les buts préférés des pèlerins de dévotion, deviennent à partir du IXe siècle le but par excellence pour les pèlerins pénitents. A partir de cette date, commencent à se multiplier les « cas réservés » dans l'absolution desquels intervient le pape, sans que avant le second concile du Latran (1139) ces cas soient soustraits à la juridiction épiscopale dont relèvent les pèlerins-pénitents. C'est tout le problème des cas réservés sur lesquels nous documente au cours des siècles la Bulle, dite *in Caena Domini* lue chaque année aux offices du Jeudi saint, à partir de 1364. Notons aussi que les croisades, par la signification pénitentielle qui s'y rattache, rentrent dans la catégorie du pèlerinage dont nous parlons ici. A partir de 1260-1261, mais surtout depuis 1348-1349 les processions des flagellants concurrencent les pèlerinages pénitentiels proprement dits.

3. Enfin la pénitence privée dite, à partir de la même époque, pénitence privée sacramentelle, est imposée pour les péchés *occultes* de toute nature. Pénitence réitérable et accessible aux clercs comme aux laïcs, elle est encore en vigueur aujourd'hui.

Le tableau de la page suivante voudrait donner une synopse des différents régimes.

Epoque paléochrétienne (système unique)	Pénitence antique		
Haut Moyen Age		Pénitence tarifée	
Période carolingienne jusqu'au XII⁰ s. (système bipartite)	Pénitence publique pour fautes graves publiques	Pénitence tarifée pour fautes graves occultes	
A partir du XIII⁰ s. (système tripartite)	Pénitence publique solennelle	Pénitence privée sacramentelle	Pèlerinage pénitentiel

Evolution de la pénitence
depuis l'Antiquité chrétienne jusqu'au Moyen Age

TEXTES

HISTOIRE DES PÉNITENTIELS

I. LES DIRECTOIRES DES CONFESSEURS
OU LIVRES PÉNITENTIELS

II. LES LISTES
DES COMMUTATIONS PÉNITENTIELLES

III. LES TÉMOINS

IV. LES VOIX AUTORISÉES

V. LES PRIÈRES DE L'ÉGLISE

VI. CONFESSIONS NON CHRÉTIENNES

APPENDICE : NOTE BIBLIOGRAPHIQUE

NOTE LIMINAIRE

Les passages ou titres placés entre parenthèses n'appartiennent pas au texte original et constituent des explications du traducteur, ou un résumé.

Les passages omis sont signalés par des points de suspension.

Abréviations employées

CCL   Corpus Christianorum. Series latina, Turnhout.

CSEL   Corpus Scriptorum Ecclesiasticorum Latinorum (dit Corpus de Vienne)

PL   Patrologie latine de Migne

MGH Monumenta Germaniae Historica

       MGH Ss. = MGH Scriptores

         MGH Ss. rer. Mer. = MGH Scriptores rerum merowingicarum

         MGH Cap. Reg. Franc. = MGH Capitularia regum Francorum

         MGH Ep. = MGH Epistulae

         MGH Conc. AK = MGH Concilia aevi karolini

PRG   Pontifical romano-germanique

MCS   Monumenta christiana selecta

HISTOIRE DES PÉNITENTIELS

Les livres pénitentiels, ou pénitentiels tout court, sont des directoires pratiques destinés aux confesseurs, dans le système de la pénitence tarifée. Par leur contenu, ils consistent en des catalogues de péchés accompagnés chacun de la taxe pénitentielle. De dimensions très variables — quelques pages ou véritables petits opuscules — les pénitentiels sont pour la plupart anonymes ou placés sous le patronage usurpé d'un grand personnage.

Par différence avec les collections de canons conciliaires où souvent les textes ou séries de textes sont transcrits mécaniquement d'une compilation à une autre, et qui donc ne correspondent pas toujours à des situations concrètes et réelles, nos pénitentiels sont, par définition, des textes vivants destinés à être utilisés par les confesseurs dans leur ministère de chaque jour. Le confesseur, en effet, avait en main son livret soit pour s'en servir comme questionnaire soit comme système de référence pour l'imposition des taxes.

La diversité, les contradictions d'un pénitentiel à un autre, la prolifération chaotique des textes n'enlèvent rien à leur valeur documentaire. Grâce à nos livrets nous saisissons sur le vif le fonctionnement de la pénitence tarifée. Mais il y a plus. Puisqu'ils ont pour but immédiat d'aider les confesseurs à remédier aux fautes et aux abus, il nous est permis de penser que les pénitentiels sont le reflet, incomplet peut-être, mais fidèle, de la situation morale et spirituelle dans laquelle ont vécu les chrétiens, dans l'aire géographique et à l'époque où chacun des livrets a été rédigé. Il s'agit donc de documents irremplaçables et souvent uniques pour l'histoire de la morale et pour l'histoire des mœurs. L'authenticité des pénitentiels provient du fait qu'ils ont été utilisés dans la pratique, et non

de leur attribution plus ou moins fictive à tel ou tel personnage
— et ceci quelle que soit la qualité du texte et la rusticité des
catalogues.

La diversité et le foisonnement des pénitentiels n'est pas pour
nous surprendre. Comme pour les livres liturgiques de la même
époque, c'est la diversité, nous pourrions même dire l'anarchie,
qui est la règle, et non l'uniformité. Quelle autorité centrale
aurait pu efficacement réglementer et unifier nos catalogues ? Certainement pas Rome, qui n'a aucune part à l'élaboration et à la diffusion de la pénitence tarifée — et qui reste
muette en ce domaine jusqu'à la réforme grégorienne, vers la
fin du XIe siècle ; or c'est exactement le moment où le système tarifé, par une dernière mutation, va faire place au système
actuel. Les carolingiens ont bien tenté de substituer des pénitentiels « authentiques », c'est-à-dire canoniques (textes empruntés aux canons conciliaires ou aux écrits des Pères de l'Église),
aux livrets anonymes dont se servaient les confesseurs ; leurs
efforts n'ont pas abouti ou du moins pas avec un plein succès,
nous l'avons dit.

Ce sont donc des moines, des clercs, des confesseurs particulièrement zélés qui, à la suite des Finnian, Colomban, Bède,
Egbert, ont agencé les tarifs qui leur apparaissaient les meilleurs
et ont dressé des listes de fautes dont se rendaient coupables leurs
fidèles. Les transcriptions ultérieures ont fait le reste pour hybri-
der et amalgamer les textes. Le désordre et la rusticité sont ici
une garantie, nous semble-t-il, de la valeur documentaire effective des pénitentiels ; l'on se méfierait plutôt de séries trop bien
ordonnées et systématiques, compilées dans des ateliers de
copistes éloignés de la réalité.

Charlemagne rappelle dans ses *Capitulaires* et dans ses *Instructions aux évêques* que chaque curé, chaque clerc ayant
charge d'âmes doit avoir son pénitentiel. Ce livret figurera
dans la modeste bibliothèque du prêtre mérovingien et carolingien, à côté du sacramentaire, du livre des exorcismes, du texte
de la *Commendatio animae*, du Comput, du lectionnaire et de
l'homéliaire (Charlemagne, *Ce que tout prêtre doit connaître*
(vers 805) ; MGH Cap. Reg. Franc. I, 235).

Réginon de Prum († 915), un siècle plus tard, recommande
instamment à chaque évêque de s'assurer si les prêtres du diocèse

« possèdent le pénitentiel romain (c'est-à-dire le pénitentiel d'Halitgaire), celui de l'évêque Théodore ou celui du presbytre Bède. L'évêque recommandera au confesseur d'interroger le pénitent en suivant l'ordre des canons qui s'y trouvent et de lui imposer la pénitence selon les taxes prévues » (Réginon, *De synodalibus causis*, I *inquisitio* 95 ; PL 132, 191 D).

Nos documents posent le problème de la classification des péchés. Saint Augustin et saint Césaire d'Arles nous ont laissé des listes de péchés graves et de péchés « menus » — qui se recouvrent à peu près avec nos péchés mortels et véniels. Les péchés sont mortels ou véniels suivant qu'ils exigent, ou non, pour leur réparation, l'entrée du pécheur dans l'ordre des pénitents et la réconciliation officielle par l'évêque. Le seul critère de discrimination est donc le *mode de l'expiation* ; ni les listes néotestamentaires, ni les « péchés capitaux » des auteurs spirituels ni, fait plus étrange encore, l'ordre suivi dans le Décalogue n'ont joué le moindre rôle. Les catalogues tarifés sont beaucoup plus abondants que les énumérations de l'époque ancienne, mais aussi beaucoup plus confus. La gravité des fautes se mesure ici, en principe, aux taxes dont elles sont affectées et encore ces taxes varient-elles d'un pénitentiel à l'autre pour la même faute.

Aucune logique non plus dans l'agencement des chapitres, quand il y en a. La hiérarchie des fautes énumérées dans l'ordre décroissant est à peu près la suivante, en tenant compte de l'insistance plus ou moins grande sur telle ou telle catégorie : fautes sexuelles, vol des biens d'église, assassinats et violences physiques, idolâtrie et superstitions, parjure, prescriptions alimentaires et hygiéniques. Il faudra attendre la scolastique pour trouver les premières analyses des actes peccamineux.

Le contenu de nos livrets, pour différent qu'il soit d'un exemplaire à l'autre, est toujours structuré d'une manière uniforme. En face des péchés, qui se suivent sans art, dans des listes plus ou moins complètes, sont données les taxes pénitentielles correspondantes : « Qui a fait telle faute, fera telle ou telle pénitence. » Ces pénitences consistent en mortifications corporelles, en aumônes, en peines d'exil, mais surtout en jours de jeûne plus ou moins austère. L'on doit traduire le « faire pénitence » de nos livrets par « jeûner ».

L'histoire littéraire des pénitentiels est loin d'être faite. Beaucoup de manuscrits n'ont pas été édités et une classification
d'ensemble entièrement satisfaisante manque jusqu'à ce jour.
L'on peut seulement poser quelques jalons. Un simple coup
d'œil jeté sur les textes accessibles fait apparaître l'étonnante
prolifération de nos livrets — et donc du système tarifé qu'ils
supposent.

1. PÉRIODE DES ORIGINES JUSQU'AU VIIᵉ SIÈCLE

Tous les pénitentiels de cette période sont d'origine et de
facture insulaire :

1. Famille bretonne et du Pays de Galles

De la seconde moitié du VIᵉ siècle sont le cycle des livrets
groupés sous le nom de David de Menevia († 544), à savoir les
16 Extraits du Livre de David, les synodes du Bois de la Victoire (Lucus Victoriae : Carleon ?) et de la Bretagne du Nord
(vers 519). Un peu postérieur est le pénitentiel attribué à Gildas de Strathclyde (Arecluta) en Écosse († 570).

2. Famille irlandaise

A cette famille se rattache le premier synode de saint Patrice
(vers 450-456 ?), les Canons dits Irlandais publiés par Martène,
parmi lesquels figure un étrange traité de commutations pénitentielles (traduit plus loin) et le pénitentiel dit de Finnian
ou Vinnian (Findian, Findén) de Clonard († 549), dont nous
traduisons le texte ci-après. Ce pénitentiel, qu'il soit une œuvre
de Finnian de Clonard ou non, date de la seconde moitié du
VIᵉ siècle et est donc le plus ancien livre pénitentiel parvenu

jusqu'à nous. On ne confondra pas Finnian de Clonard avec l'évêque Finnian de Moville († 579).

3. Famille colombanienne

Elle est représentée par le pénitentiel attribué à Colomban († 615). Bien que rédigé sur le continent (Luxeuil ? Bobbio ?), l'ouvrage est de pure inspiration insulaire ; nous en donnons le texte plus loin.

2. PÉRIODE DE L'APOGÉE DES PÉNITENTIELS (DU VIIᵉ SIÈCLE JUSQU'EN 813-850 ENVIRON)

Deux grandes familles de pénitentiels ont apparu durant cette période : la famille insulaire, ancien et nouveau cycle (les témoins de cette lignée ont été rédigés dans les îles, mais leur fortune s'est faite sur le continent) et la famille continentale.

1. Pénitentiels insulaires (ancien cycle)

Appartiennent à cette catégorie avant tout le pénitentiel attribué à Cumméan (ou Cumian) le Long (590-662), évêque de Clonfert. On ne confondra pas Cumméan le Long avec Cumméan le Blond († 669) abbé de Hy, ni avec l'abbé de Durrow (Waterford) un autre Cumméan (vers 650). Ensuite, les Recueils théodoriens placés, à tort, sous le patronage de Théodore archevêque de Canterbury (668-690), qu'il vaut mieux dater de la fin du VIIᵉ siècle ou du commencement du VIIIᵉ siècle (vers 690/740 environ). Parmi ces recueils figure le célèbre pénitentiel dit de Théodore, appelé aussi le *Discipulus Umbrensium* (la traduction littérale : Disciple des Ombriens ? reste énigmatique). On en lira le texte ci-dessous.

2. Pénitentiels insulaires (nouveau cycle)

Nous rangerons dans cette famille le pénitentiel de Bède, qui est peut-être une œuvre authentique du célèbre historien de l'Église d'Angleterre, mort en 735, dont on lira le texte plus loin, le pénitentiel d'Egbert dont l'auteur présumé est Egbert archevêque d'York (732-766 environ) et les compilations anonymes telles que le pénitentiel d'Albers (éditeur du texte), des années 721-731 ? (850 ?), le pénitentiel du pseudo-Bède (ainsi Wasserschleben) ou Bède-Egbert (ainsi Schmitz) et le confessionnal (non le pénitentiel) d'Egbert, tous du VIIIe siècle.

3. Pénitentiels continentaux

L'on sait que nos livrets, partis des îles, ont passé sur le continent dans les bagages des missionnaires. Rapidement ils se sont implantés dans nos régions et se sont multipliés d'une manière prodigieuse. C'est la preuve évidente du succès rencontré par la nouvelle discipline tarifée. Dans le foisonnement des manuscrits il n'est encore possible actuellement que d'isoler quelques lignées. Il y eut, d'un rameau à l'autre et souvent d'un manuscrit à l'autre d'une même souche primitive, amalgame, additions et élargissements. A chaque transcription, des éléments nouveaux se sont introduits dans nos pénitentiels, conformément à des situations concrètes nouvelles ou selon les vues particulières de tel ou tel clerc sur l'administration de la pénitence tarifée. La reconstitution d'un archétype est la plupart du temps impossible. Cette variété et originalité garantit la valeur documentaire de nos texes.

a. Lignée colombanienne

Toute cette lignée est franque d'origine : le *Hubertense* de Martène, le *Bobbiense* de Mabillon, le *Vindobonense A* de Wasserschleben, le *Floriacense*, et le *Parisiense II*, tous du début du VIIIe siècle et, dans tous les cas, antérieurs aux tentatives carolingiennes.

b. *Lignée de Cumméan et de Théodore*

Très vite, en raison du prestige des noms sous lesquels circulaient les opuscules de cette lignée, pénitentiels cumméanais et théodoriens se sont fondus, ainsi l'*Excarpsus Cummeani*, le *Bigotianum*, le *Remense*, le *Vindobonense II* et les pénitentiels espagnols de Silos et d'Albelda, tous de la première moitié du IXe siècle.

c. *Lignée tripartite*

Dans cette série confluent les familles colombaniennes, théodoriennes et celle de Cumméan, ainsi le *Sangallense tripartitum*, le *Merseburgense*, le *Vallicellanum I* de Schmitz, tous de la seconde moitié du VIIIe siècle ou des premières décennies du IX ᵉsiècle, rédigés en pays franc et en Italie du Nord, après les expéditions de Charlemagne contre les Lombards.

d. *Lignées mixtes*

Les pénitentiels de ce type sont d'une incohérence totale ; tout classement dans une famille quelconque est impossible. Ils documentent à l'évidence l'anarchie et le chaos qui régnait dans la taxation pénitentielle. Ainsi le *Burgundense*, le *Martenianum* et la collection de Fécamps, entre autres, tous du VIIIe siècle.

3. *PÉNITENTIELS CAROLINGIENS ET POSTCAROLINGIENS (APRÈS 813)*

Les efforts entrepris par les réformateurs carolingiens pour restaurer la discipline pénitentielle antique et pour éliminer les pénitentiels n'eurent pas le succès, on le sait, que se promettaient les promoteurs de l'entreprise.

Les livrets carolingiens se veulent « authentiques » c'est-à-dire composés de canons pénitentiels tels qu'ils figurent dans la *Dionysio-Hadriana*, l'*Hispana* et la *Dacheriana*. En fait, tous les pénitentiels de cette époque sont interpolés d'éléments issus directement des livres tant décriés, issus, en particulier, de la lignée colombanienne. Tel est le cas du pénitentiel d'Halitgaire, évêque de Cambrai (871-830) dont la subscription erronée « Pénitentiel tiré des Archives de l'Église romaine » a longtemps égaré la critique. Il ne s'agit nullement d'un livre romain, mais d'une compilation, œuvre authentique de l'évêque de Cambrai. Raban Maur nous a laissé deux pénitentiels, composés, l'un vers 841 et adressé à Otgar de Mayence, l'autre en 853 dédié à Héribald d'Auxerre.

4. PÉNITENTIELS DE LA FIN DU IXe SIÈCLE, DES Xe ET XIe SIÈCLES
(du pseudo-Isidore à la réforme grégorienne)

Les séries canoniques factices de l'époque carolingienne ont été vite supplantées par la résurgence des lignées précarolingiennes et même insulaires (anglo-saxonnes). Parmi ces témoins, citons les pénitentiels pseudo-romains (le *Casinense,* le pénitentiel Arundel, le pénitentiel du pseudo-Grégoire III), mais surtout le pénitentiel (pas le confessionnal) du pseudo-Egbert en quatre livres et les pseudo-canons du roi Edgard (Xe siècle), importants pour les listes de commutations.

Le « Médecin » (*Corrector sive Medicus*), c'est-à-dire le Livre XIX du *Décret* de Burchard de Worms (1008-1012) termine la période des pénitentiels proprement dits. L'importance de ce livre est exceptionnelle (nous en donnons une traduction plus loin) : il nous procure un tableau concret de ce que fut la vie quotidienne des communautés chrétiennes au Nord des Alpes au Xe siècle.

Quelques mots sur notre traduction. Il était indispensable de présenter des textes complets et non des extraits, afin de donner une idée exacte de ce qu'était la pénitence tarifée. Notre traduction suit le plus fidèlement possible un texte original rédigé souvent dans une langue barbare et peu claire. Les catalogues des péchés sont confus, les redites nombreuses, le classement systématique inexistant en fait. Il n'était pas question d'introduire dans nos documents une ordonnance logique qui ne s'y trouve pas. Les taxes se suivent en longues litanies monotones ; cette monotonie devait être respectée.

Nous mettons entre crochets carrés [...] ou arrondis (...) les sous-titres que nous introduisons dans le texte original, certains mots d'explication et aussi le résumé de passages que la crudité de la langue originale ou la chose elle-même empêchaient de rendre in extenso.

I

LES DIRECTOIRES
DES CONFESSEURS
OU LIVRES PÉNITENTIELS

1. UNE INSTRUCTION AUX CONFESSEURS, DU DÉBUT DU IXe SIÈCLE

Prologue du pénitentiel d'Halitgaire
(éd. WASSERSCHLEBEN, p. 250.)

Nous ouvrons la série des directoires pour l'administration de la pénitence tarifée par une instruction aux confesseurs qui deviendra classique pour toute notre période. On la trouve en guise de prologue à de nombreux pénitentiels. Nous empruntons notre texte au pénitentiel d'Halitgaire († 830).

Le confesseur associé à l'expiation du pénitent

Chaque fois que les fidèles recourent à la pénitence nous leur imposons des jeûnes. Nous-mêmes, les confesseurs, devons nous unir à nos pénitents et jeûner avec eux une ou deux semaines ou autant que nous le pouvons, afin qu'on ne dise pas de nous ce que dit l'Écriture des prêtres juifs : « Malheur à vous, hommes de la Loi, qui chargez les hommes et placez sur leurs épaules des poids difficiles à porter, alors que vous-mêmes ne touchez pas du doigt leur fardeau (Luc XI, 40). »

Personne ne saurait aider l'homme qui succombe sous le fardeau, s'il ne se baisse lui-même pour lui tendre la main ; aucun médecin ne peut guérir les blessures, s'il a peur de l'infection. De même aucun prêtre ou évêque ne saurait guérir les blessures dont souffre le pécheur ou ôter le péché, s'il ne donne pas sa peine, ses prières et ses larmes. Soyons donc, frères très chers, pleins de sollicitude pour les pécheurs, car nous sommes les membres d'un seul corps et, si l'un des membres souffre, les autres ne restent pas indemnes. Si donc nous voyons un de nos frères qui est tombé dans le péché, hâtons-nous par nos conseils de l'amener à la pénitence.

Chaque fois que tu feras tes recommandations au pécheur, impose-lui immédiatement sa pénitence : combien il doit jeûner et comment il devra racheter ses fautes — de peur de l'oublier et de devoir une nouvelle fois l'interroger. Le pénitent risquerait de rougir d'avoir à confesser ses fautes une seconde fois et estimerait qu'il est taxé injustement.

Le pénitentiel est un livre « réservé »

Tous les clercs ne doivent pas avoir entre les mains les pénitentiels ou les lire quand ils les trouvent. Ces livrets sont réservés à ceux qui en ont besoin pour leur ministère, à savoir les évêques et les prêtres. De même, en effet, ne doivent offrir le sacrifice de la messe que les évêques et les prêtres, de même personne d'autre ne devra se servir de ces tarifs.

En cas de nécessité seulement et en l'absence du prêtre, le diacre recevra les pénitents (pour leur indiquer l'expiation à accomplir et) pour les admettre à la sainte communion.

Nous l'avons dit plus haut, les évêques et les prêtres en toute humilité prieront avec des larmes et des gémissements non seulement pour leurs propres fautes, mais pour celles de tous les chrétiens ; ainsi ils pourront dire avec saint Paul : « Qui est malade sans que je souffre (2 Cor. XI, 29) ? »

2. LE PÉNITENTIEL DE FINNIAN — OU VINNIAN (MILIEU DU VIᵉ SIÈCLE)
(éd. WASSERSCHLEBEN, pp. 108-119. SCHMITZ, I, pp. 497-509.)

Le livret a été composé entre 550 et 600 environ, en Irlande, et est donc le plus ancien pénitentiel qui nous soit conservé. La tradition l'attribue à Finnian (Findian, Findèn), mort de la peste en 549, qui fut peut-être l'élève de Gildas de Strathclyde en Écosse et de David de Menevia. Finnian fonda vers 515 le couvent de Clonard (sur le Boyne), dans le Leinster en Irlande. Il ne faut pas confondre notre Finnian, auteur probable du pénitentiel que nous traduisons, avec Finnian, évêque de Moville († 579).

Au nom du Père, du Fils et du Saint-Esprit.

Péchés par pensées

1. Si quelqu'un pèche par pensée et s'en repent sur-le-champ : il frappera sa poitrine, demandera pardon à Dieu, fera une pénitence appropriée, et il sera guéri.

2. Celui qui pèche souvent par pensée, mais hésite à mettre ses pensées à exécution ou ignore s'il a vraiment consenti aux pensées mauvaises : il demandera pardon à Dieu par la prière et les jeûnes, jour et nuit, jusqu'à ce que les pensées mauvaises s'éloignent, et il sera guéri.

3. Si quelqu'un a pensé et a voulu faire le mal, mais n'a pas eu la possibilité de le faire, le péché est le même (que s'il avait commis la faute), mais la pénitence sera différente. Ainsi, s'il a voulu commettre un acte d'impureté ou un homicide et que l'exécution n'a pas suivi l'intention, il a déjà péché dans son cœur ; s'il fait pénitence sans tarder, il peut guérir. La pénitence consistera en 6 mois de jeûne et, pendant, une année, il s'abstiendra de viande et de vin.

Injures, disputes et violences

4. Si quelqu'un pèche par des paroles injurieuses et s'en repent aussitôt, et qu'il n'a pas agi avec préméditation, il doit se soumettre à la pénitence. Il fera un jeûne prolongé (c'est-à-dire de deux jours) et se gardera de pécher à l'avenir.

5. Si quelqu'un se dispute avec les clercs et les ministres de Dieu, il jeûnera durant une semaine au pain et à l'eau ; il demandera pardon à Dieu et à son prochain, humblement et sincèrement, et ainsi se réconciliera avec Dieu et autrui.

6. Si un clerc a formé le dessein scandaleux de frapper ou de tuer son prochain, il jeûnera six mois au pain et à l'eau, s'abstiendra de vin ét de viande ; ainsi il sera autorisé à revenir à l'autel (pour offrir et communier).

7. Mais s'il s'agit d'un laïc, il jeûnera pendant sept jours, car la faute d'un homme de ce monde est moins grave ici-bas, comme aussi sa récompense sera moindre dans l'au-delà.

8. Si un clerc a frappé son frère ou son prochain et a répandu le sang, le crime est le même que s'il avait tué, mais la pénitence est différente : il jeûnera un an au pain et à l'eau et n'exercera pas son ministère ; il priera, avec larmes et gémissements, pour obtenir son pardon de Dieu, car l'Écriture dit : « Celui qui hait son frère est un homicide » — combien plus coupable est donc celui qui frappe son frère.

9. Si un laïc frappe son frère, il fera pénitence pendant 40 jours et donnera une amende fixée par le prêtre ou par un moine. Mais un clerc ne doit ni donner ni recevoir de l'argent (comme pénitence).

Impudicité des clercs

10. Un clerc tombant dans le péché d'impureté et perdant son innocence, mais une fois seulement et à l'insu des gens — mais non à l'insu de Dieu : il jeûnera pendant un an au pain et à l'eau ; durant 2 ans il s'abstiendra de vin et de viande, et n'exercera aucune fonction ecclésiastique. Nous déclarons en effet : les péchés peuvent être absous en secret, par la pénitence et par un effort sérieux.

11. Un clerc qui a l'habitude de pécher par impureté — à l'insu des gens : il fera pénitence durant 3 ans au pain et à l'eau et perdra son office ; durant 3 autres années, il s'abstiendra de vin et de viande.

12. Un clerc qui tombe dans une déchéance plus grande, et tue l'enfant dont il est le père : il y a un crime de fornication et d'homicide — qui cependant peut être racheté par la pénitence et les bonnes œuvres. Le coupable fera 3 ans de pénitence au pain et à l'eau ; dans les pleurs, les larmes et les prières, jour et nuit, il demandera pardon à Dieu afin d'obtenir le pardon

de ses péchés. Durant 3 ans il s'bastiendra de vin et de viande ;
il perdra son office clérical et les trois derniers carêmes, il
jeûnera au pain et à l'eau. Il sera un proscrit dans sa propre
patrie, durant 7 ans. Ensuite, il sera rétabli dans sa charge,
suivant l'estimation de l'évêque ou du prêtre.

13. Si le clerc ne tue pas son enfant : le péché est moindre,
mais la pénitence reste la même.

14. Un clerc entretient des rapports familiers avec une
femme, mais ne fait rien de coupable, ni en restant auprès d'elle
ni en l'embrassant impudiquement : la pénitence sera la suivante. Aussi longtemps qu'il se sentira attaché à la femme en
question, il s'abstiendra de communier ; il fera pénitence
40 jours et 40 nuits jusqu'à ce qu'il ait extirpé de son cœur
l'amour qui l'attache à la femme. Ensuite il sera réadmis à
l'autel.

15. Mais si un clerc entretient des rapports familiers avec
plusieurs femmes, se plaît en leur compagnie, s'abandonne à
leurs caresses, mais évite — d'après ce qu'il dit — le déshon-
neur définitif, il fera pénitence 6 mois au pain et à l'eau et
s'abstiendra de vin et de viande. Mais il ne perdra pas son
office clérical et après une année de jeûne, il sera réadmis à
l'autel.

16. Le clerc qui désire charnellement une fille vierge ou
toute autre femme, sans lui en faire l'aveu et une seule fois,
jeûnera 7 jours au pain et à l'eau.

17. Le clerc qui entretient longtemps ses mauvais désirs,
mais n'a pas réussi à les mettre en exécution soit que la
femme l'ait repoussé soit qu'il ait eu honte de lui faire des
propositions, ce clerc a déjà commis l'adultère dans son
cœur. Le péché réside dans le cœur, mais la pénitence n'est pas
la même (que s'il avait mis à exécution ses désirs) : le coupable
jeûnera 40 jours au pain et à l'eau.

Sorcellerie

18. Un clerc sorcier ou une sorcière, s'ils tuent un être humain
par leurs sortilèges, commettent un péché énorme, mais qui
peut être racheté par la pénitence : 6 ans de jeûne, dont les

3 premières au pain et à l'eau, les 3 autres sans vin et sans viande.

19. Si le sorcier ou la sorcière en question n'ont pas usé de leurs sortilèges pour tuer, mais seulement pour provoquer l'amour charnel : un an de jeûne au pain et à l'eau.

Infanticide

20. Une femme qui tue l'enfant nouveau-né d'une autre femme par ses maléfices : 6 mois de jeûne au pain et à l'eau, 2 ans sans vin et sans viande et 6 carêmes au pain et à l'eau.

Fornication des religieuses et des religieux

21. Si une religieuse a donné vie à un enfant et que son péché est connu de tous, elle jeûnera au pain et à l'eau durant 6 ans, comme il a été dit du clerc ; la septième année, elle sera réconciliée et pourra alors renouveler sa profession religieuse, revêtir les vêtements blancs et être de nouveau appelée « vierge ».

Le clerc qui tombe de la même manière devra recouvrer son office après un jeûne de 7 ans, car l'Écriture dit : « Le juste tombe 7 fois et se relève », ce qui veut dire : après 7 ans de pénitence, le moine déchu pourra de nouveau être appelé « religieux ». Il se gardera désormais de tomber encore, car Salomon dit : « Le chien qui revient à son vomissement est exécrable » — ainsi celui qui, par faiblesse, retourne à son péché.

Faux serments

22. Le faux serment est un crime qui ne peut être racheté ou très difficilement ; il est cependant mieux de faire pénitence que de désespérer car la miséricorde de Dieu est grande. Et voici quelle sera la pénitence : ne plus jamais faire de serments durant la vie, car l'homme qui fait des serments ne sera pas justifié et le malheur sera sur sa maison. Un remède spirituel promptement administré préviendra les peines de l'au-delà : 7 ans de pénitence, et faire le bien le reste de la vie,

libérer un serf ou une serve, ou bien distribuer aux pauvres leur prix de composition légale.

Assassinat et meurtre

23. Le clerc assassin sera exilé pendant 10 ans et fera 7 ans de pénitence, dont 3 ans au pain et à l'eau et, durant les trois Carêmes, un jeûne encore plus rigoureux ; les quatre autres années le coupable s'abstiendra de vin et de viande. Après 10 ans, si le clerc a bien vécu, d'après le témoignage d'un abbé ou du prêtre auquel il a été remis (pour accomplir sa pénitence), il pourra rentrer dans sa patrie. Il donnera aux parents la composition légale due pour la victime ; il se mettra au service du père et de la mère de la victime et leur dira : Je ferai à la place de votre fils tout ce que vous m'ordonnerez. Si le coupable n'expie pas suffisamment, il ne sera jamais admis à la communion.

24. Mais si le clerc a tué sans préméditation et sans haine et qu'il a été l'ami de la victime, et donc a tué par emportement et par l'instigation du diable, il jeûnera 3 ans au pain et à l'eau et durant 3 autres années, il s'abstiendra de vin et de viande. Il fera sa pénitence loin de sa patrie.

Vols

25. Si un clerc a commis un vol, une ou deux fois, par exemple en enlevant une brebis, un porc ou un autre animal, il jeûnera un an au pain et à l'eau et rendra le quadruple de son vol.

26. Mais si un clerc a l'habitude de voler, il fera 3 ans de pénitence.

Incontinence des clercs

27. Si un diacre ou un clerc dans les ordres habite avec ses fils, ses filles et la femme qu'il avait épousée avant d'entrer dans les ordres, et que pris d'un désir charnel il cohabite conjugalement avec son épouse et engendre un fils, que ce clerc sache qu'il est tombé très bas. Sa faute n'est pas moindre que si,

clerc depuis sa jeunesse (et non marié), il avait péché avec une femme. Parce que consacrés à Dieu, ils ont péché après la promesse de chasteté et ont trangressé leur vœu : le clerc et son épouse jeûneront 3 ans au pain et à l'eau ; durant 3 autres années ils s'abstiendront de vin et de viande, mais chacun fera pénitence de son côté. Après 7 ans, ils seront réunis et le clerc recouvrera son office.

Avarice, vol, colère et détournement des biens d'Eglise

28. Le clerc avare est un grand coupable, car l'avarice est une sorte d'idolâtrie ; elle peut être corrigée par la charité et les aumônes. La pénitence consistera à extirper le péché d'avarice par la vertu opposée.

29. La colère, la rancune, la calomnie, la méchanceté et l'envie, surtout pour un clerc, sont des crimes et des vices capitaux qui tuent l'âme et la plongent dans les abîmes de l'enfer. La pénitence se fera comme suit. Jusqu'à ce que ces vices soient arrachés et déracinés de notre cœur, avec l'aide du Seigneur et grâce à notre endurance, nous demanderons la miséricorde du Seigneur et la victoire sur nos péchés. Nous resterons en pénitence, dans les larmes et les pleurs, jour et nuit, aussi longtemps que les vices en question demeureront dans notre cœur. Nous nous emploierons à guérir les maladies par les remèdes qui y sont contraires, et les vices par les vertus : la colère par la bonté, l'amour de Dieu et du prochain, la calomnie par la discrétion dans les pensées et les paroles, le découragement par la joie spirituelle, l'avarice par la générosité. Les Écritures disent : « Celui qui calomnie son prochain sera arraché de la terre des vivants. » La tristesse détruit et consume l'âme. « L'avarice est la racine de tous les maux », dit l'apôtre.

30. Un clerc est convaincu de voler monastères et églises, sous le prétexte, faux, de racheter les captifs. Si le coupable s'amende, il fera un an de jeûne au pain et à l'eau ; tous les biens volés qui seront découverts chez lui seront distribués aux pauvres et donnés en gage. Durant deux ans, il s'abstiendra de vin et de viande.

31. Nous ordonnons (d'utiliser ces biens) pour racheter les captifs et suivant l'enseignement de l'Église, de les mettre à la disposition des pauvres et des miséreux.

32. Si le clerc coupable ne s'amende pas, il sera excommunié et mis au ban des chrétiens ; il sera chassé de sa patrie. Il sera roué de coups, au cas où il viendrait à résipiscence, jusqu'à ce qu'il se convertisse sincèrement et définitivement.

33. Il faut, avec nos biens, subvenir aux besoins des églises dédiées aux saints et venir en aide à tous ceux qui sont dans le besoin. Nous accueillerons les pèlerins dans nos maisons, comme il est écrit : « Il faut visiter les malades. Il faut venir en aide aux prisonniers. Il faut obéir aux commandements de Dieu dans les moindres détails. »

Conversion

34. Quand un pécheur ou une pécheresse — quels qu'ils soient — demandent la communion à la fin de leur vie, il ne faut pas leur refuser le Corps du Christ (*nomen Christi*), s'ils promettent de s'amender, s'ils font le bien et remplissent leurs engagements. S'ils sont infidèles à leurs promesses (de se corriger), le châtiment retombera sur eux — quant à nous, nous ne refuserons pas ce que nous devons accorder. Il ne faut avoir de cesse d'arracher la proie de la gueule du lion ou du dragon, c'est-à-dire des griffes du démon, car lui n'a de cesse d'arracher notre âme ; aidons ceux qui sont à l'article de la mort.

35. Quand un laïc se convertit au Seigneur après avoir fait le mal — impureté et meurtre — il fera 3 ans de pénitence, ne portera plus les armes, à l'exception d'un bâton, et quittera son épouse pendant une première année de jeûne au pain et à l'eau. Après ces trois ans, il donnera au prêtre une somme d'argent pour le rachat de son âme et offrira un repas aux moines. Durant ce repas il sera réconcilié et reçu à la communion. Ensuite il pourra aller retrouver son épouse et communier.

Délits sexuels des laïcs et des personnes mariées

36. Un laïc qui a eu des rapports charnels avec la femme d'autrui ou avec une vierge (consacrée ?), fera pénitence pen-

dant un an au pain et à l'eau ; il ne s'unira pas à sa propre
épouse. Après un an, il sera reçu à la communion ; il versera une
amende pour le rachat de son âme et cessera de forniquer à
l'avenir.

37. Le laïc qui viole une religieuse, la déflore et la rend
enceinte, jeûnera pendant 3 ans. La première année au pain et
à l'eau, et il quittera les armes et n'aura pas de rapports
intimes avec son épouse. Les deux années suivantes, il s'absien-
dra de vin et de viande, et ne s'approchera pas davantage de
son épouse.

38. Si le laïc en question n'a pas rendu enceinte la religieuse,
mais l'a seulement déflorée, il jeûnera pendant un an au pain
et à l'eau, s'abstiendra pendant 6 mois de vin et de viande et
n'aura pas de relations charnelles avec son épouse avant la fin
de sa pénitence.

39. Le laïc marié qui a des rapports charnels avec son esclave
(serve), vendra son esclave et, pendant une année, n'aura pas de
relations intimes avec son épouse.

40. Si un laïc marié a rendu enceinte son esclave et qu'un
ou plusieurs fils lui sont nés, l'esclave devra être libérée ; il
ne sera pas permis à son maître, dans ce cas, de la vendre. Mais
les deux complices seront séparés et le coupable jeûnera un
an au pain et à l'eau. Il délaissera à l'avenir son esclave concubine et se contentera de son épouse.

41. Le mari ne renverra pas son épouse parce qu'elle est
stérile. Ils devront rester ensemble, dans la continence et ils
seront heureux s'ils persévèrent dans la chasteté jusqu'à ce que
Dieu leur fasse justice. S'ils demeurent comme Abraham et
Sara, Isaac et Rebecca, comme Anne la mère de Samuel ou
Élisabeth la mère de Jean, ils seront heureux au dernier jour.
L'apôtre dit : « Que ceux qui ont des épouses vivent comme
s'ils n'en avaient pas, car l'apparence de ce monde disparaîtra ».

42. L'épouse ne doit pas abandonner son mari ; si elle le fait,
elle devra rester seule (sans se remarier) ou se réconcilier avec
son mari.

43. Si l'épouse a commis l'adultère et habite avec un homme
qui n'est pas le sien, son mari n'a pas pour autant le droit d'épouser une autre femme aussi longtemps que son épouse adultère
est en vie.

44. Si l'épouse adultère fait pénitence, son époux est tenu de la reprendre, à condition qu'elle le demande librement et clairement ; le mari ne lui donnera pas la dot et elle servira son premier mari, tant qu'elle vivra, comme une esclave, en toute soumission et dévouement.

45. Une épouse délaissée par son mari n'épousera pas un autre tant que son premier mari sera en vie. Elle attendra seule, avec patience et chastement, que Dieu apaise l'esprit de son mari. La pénitence pour un époux ou une épouse adultère : un an au pain et à l'eau ; les époux accompliront leur pénitence séparément et ne dormiront pas dans le même lit.

46. Nous exhortons à la continence dans le mariage, car un mariage sans continence n'est pas un vrai mariage, mais un péché. Le mariage n'a pas été donné par Dieu pour la jouissance, mais en vue de procréer. Il est écrit en effet : « Ils seront deux dans une chair », à savoir dans l'unité de la chair en vue de la génération et non pour le plaisir des sens.

Au cours de chaque année, les époux pratiqueront la continence 3 fois pendant 40 jours, par consentement mutuel, afin de pouvoir s'adonner à la prière pour le salut de leurs âmes. Ils s'abstiendront pareillement de relations conjugales la nuit de samedi à dimanche. De même l'homme ne s'approchera pas de son épouse enceinte ; après l'accouchement, ils pourront de nouveau s'unir, comme le dit l'apôtre.

Négligences dans l'administration du baptême

47. Si un enfant meurt sans baptême par la négligence des parents, c'est un grand crime car une âme se perd. Ce crime peut être racheté par la pénitence : un an de jeûne pour les parents, au pain et à l'eau ; ils ne dormiront pas ensemble dans le même lit durant la même période.

48. Un clerc d'une paroisse, qui n'a pas reçu au baptême un petit enfant, jeûnera un an au pain et à l'eau (si par sa faute l'enfant meurt sans baptême).

49. Qui est incapable d'administrer le baptême ne doit pas être appelé comme clerc ou diacre, ni recevoir la dignité cléricale ou l'ordination.

50. Les moines ne baptiseront ni ne recevront les offrandes (à l'eucharistie) ; s'ils pouvaient recevoir les offrandes, pourquoi ne baptiseraient-ils pas ?

Prescriptions diverses

51. Le mari dont l'épouse a commis l'adultère ne s'unira pas à elle, jusqu'à ce qu'elle ait fait pénitence, comme il a été dit plus haut, à savoir pendant un an. De même l'épouse ne s'unira pas à son mari qui a commis l'adultère jusqu'à ce qu'il ait accompli la même pénitence.

52. Qui détruit une créature, laquelle est un bienfait de Dieu, fera 7 ans de pénitence.

53. Il est interdit de communier avant la fin de la pénitence. Fin. Grâces à Dieu !

Voilà donc, frère bien-aimés, quelques points relatifs aux remèdes de la pénitence, suivant l'enseignement des Écritures et l'avis de personnages doctes. J'ai tenté de les mettre par écrit, poussé par mon amour pour vous, bien que la tâche fût au-dessus de mes forces et de mes capacités. Il y a d'autres enseignements sur les remèdes et sur la diversité des maux à guérir que nous ne pouvons énumérer ici, faute de place disponible et aussi par incapacité. Si quelqu'un mieux au fait des Écritures, trouve mieux, nous serons d'accord pour le suivre.

Fin du livret que Finnian a compilé pour ses fils pour que les crimes disparaissent d'entre les hommes.

3. LE PÉNITENTIEL DE SAINT COLOMBAN (FIN DU VI° SIÈCLE)

(Éd. WASSERSCHLEBEN, pp. 352-360 ; SCHMITZ I, pp. 594-602 ; J. LAPORTE, *Le pénitentiel de s. Colomban* MCS IV, Paris, 1958, pp. 90-104 [texte latin seul].)

Le pénitentiel attribué à saint Colomban se compose de trois parties : l'une destinée aux moines, l'autre aux clercs, la troisième aux laïcs. Rédigé, pour une partie des canons du moins, par saint Colomban lui-même, d'abord en Irlande (vers 568-570), puis à Luxeuil ou à Bobbio (un peu avant 608), l'opuscule est entièrement d'inspiration insulaire et appartient par sa date aux origines de la pénitence tarifée.

Saint Colomban (vers 543-615), comme on sait, fut un élève de Comgall au monastère de Bangor. En 591, avec douze compagnons, il se mit en route vers la Gaule et fut reçu par Childebert, roi des Burgondes. Celui-ci l'installa d'abord à Annegray ; ensuite, avec le succès grandissant des missionnaires venus des îles, à Luxeuil et à Fontaines. Pour une question de comput pascal, Colomban entra en conflit avec Rome vers 600. Dans une lettre adressée à Grégoire le Grand, Colomban, le premier, emploie le terme « toute l'Europe » pour désigner notre continent.

Lorsque Colomban exigea de Theuderic, le successeur de Childebert, qu'il se sépare de sa concubine, il fut exilé. Avec l'appui de Clotaire, il passa en Neustrie et de là, dans des pérégrinations aventureuses, sur le lac de Zurich (Bregenz), évangélisant les foules sur son passage. Finalement, il arriva en Italie du Nord, où il mourut, à Bobbio, en 605. Ses ossements reposent encore dans la crypte du monastère.

Par sa prédication, saint Colomban a œuvré à la christianisation des royaumes sous la domination mérovingienne. Il fut l'un des principaux artisans dans la propagation de la discipline tarifée.

Remarque liminaire

1. La vraie pénitence consiste à ne plus commettre les actes justiciables de la pénitence et à regretter les fautes commises. Mais en raison de leur faiblesse, beaucoup, pour ne pas dire tous, contreviennent à cette règle ; il faut donc connaître les tarifs pénitentiels. Le principe général, énoncé par nos saints Pères, consiste à fixer la durée du jeûne selon la gravité de la faute.

Pénitentiel monastique

[*Les fautes graves*]

2. Si donc quelqu'un pèche par pensée, à savoir qu'il a envie de tuer, de forniquer, de voler, de manger en cachette, de s'enivrer, de frapper autrui, de trahir ou de commettre quelque action de ce genre ou qu'il était disposé à commettre ces actes, il jeûnera au pain et à l'eau 6 mois ou 40 jours, suivant la gravité des actes (qu'il s'est proposé de commettre).

3. Si quelqu'un s'est laissé entraîner à commettre effectivement des actes tels que l'homicide ou la sodomie : 10 ans de jeûne. S'il fornique une fois seulement : 3 ans de pénitence ; s'il l'a fait plus souvent : 7 ans de pénitence. Si un moine abandonne (l'état monacal) et rompt ses vœux, mais revient rapidement, il jeûnera 3 carêmes ; mais s'il ne revient qu'après de longues années, il fera pénitence 3 ans.

4. Le voleur jeûnera pendant 1 an.

5. Le parjure jeûnera pendant 7 ans.

6. Si quelqu'un, dans une dispute, frappe son frère et répand le sang, il jeûnera 3 ans.

7. Quiconque s'enivre jusqu'à vomir ou qui, repu, vomit l'Eucharistie : 40 jours de jeûne. Mais si quelqu'un rend l'Eucharistie pour cause de maladie : 7 jours de jeûne. Si quelqu'un laisse tomber (ou perd en voyage ?) l'Eucharistie : 1 an de jeûne.

8. Pour le péché de masturbation : 1 an de jeûne, si le coupable est encore jeune.

9. Un voleur (des biens d'église ou du monastère) qui fait un faux témoignage, en connaissance de cause, jeûnera 2 ans ; il devra abandonner ou remettre en état ce pour quoi il s'est parjuré.

[*Les fautes de moindre gravité*]

10. Tels sont les tarifs pour les fautes majeures. Voici maintenant ce qui concerne les fautes habituelles de moindre gravité.

Si un religieux agit de sa propre initiative, sans qu'on le lui demande, ou réplique en disant : « Je ne le ferai pas », ou renâcle à la tâche : s'il s'agit d'une chose importante, il fera 3 jeûnes prolongés (il s'agit du jeûne du vendredi prolongé jusqu'à samedi midi). S'il s'agit d'une chose moins grave : 1 jeûne prolongé. Les répliques vives et insolentes seront punies de 50 coups de bâton. En cas de dispute (moins grave) : 7 jours de jeûne.

11. Le moine qui calomnie son frère ou écoute volontiers les calomniateurs fera 3 jours de jeûne prolongé ; s'il calomnie son supérieur, il jeûnera pendant 7 jours.

12. Le moine qui méprise son supérieur, par orgueil ou insulte la Règle, sera exclu (du monastère) à moins qu'il ne dise immédiatement : « Je regrette d'avoir dit cela. » S'il ne s'excuse pas humblement, il jeûnera 40 jours, car il est tenu par la maladie de l'orgueil.

13. Le bavard sera condamné à se taire, le coléreux à se montrer doux, le gourmand à jeûner, l'endormi à veiller, l'orgueilleux au cachot, le trompeur à la réprobation générale. Chacun sera puni selon ce qu'il mérite, pour qu'il devienne juste et vive dans la justice.

[Traitement différent suivant la nature des péchés]

14. Des péchés différents requièrent des pénitences différentes. Les médecins du corps eux- aussi adaptent leurs médicaments aux différentes espèces de maladies. Ils soignent différemment les plaies, les maladies, les tumeurs, les anémies, les gangrènes, les cécités, les fractures, les brûlures. De même, le médecin de l'âme devra soigner par des remèdes appropriés les blessures de l'âme, ses maladies, ses fautes, ses douleurs, ses langueurs, ses infirmités. Mais comme il y a peu de médecins qui soient parfaitement au courant pour guérir et ramener la santé (de l'âme), nous proposons ici quelques conseils, en partie selon les traditions des Anciens et en partie selon notre propre jugement : « Car imparfaite est notre prophétie, imparfaite aussi notre science (1 Cor. XIII, 9). »

Pénitentiel clérical

[Meurtre]

15. Il nous faut d'abord traiter de fautes capitales, qui sont également punies par les lois civiles.

Un clerc qui commet un meurtre et tue son prochain, sera exilé pendant 10 ans. Ensuite, il sera autorisé à rentrer dans sa patrie, à condition qu'il ait jeûné régulièrement au pain et à l'eau comme il devra résulter de l'attestation de l'évêque ou du prêtre qui a surveillé sa pénitence et auquel il a été confié. Le coupable réparera le tort causé aux parents de sa victime ; il se comportera comme un fils et dira : « Je ferai tout ce que vous voudrez. » Si le coupable ne répare par les torts qu'il a causés, il ne sera jamais autorisé à rentrer dans sa patrie mais, tel Caïn, il errera comme un vagabond et sera exilé sur terre.

[Fautes sexuelles]

16. Le clerc qui déchoit complètement et engendre un fils, jeûnera durant 7 ans au pain et à l'eau, en qualité de pèlerin. Alors seulement, et suivant l'appréciation de son confesseur, il sera réadmis à l'autel.

17. Si un clerc commet le crime sodomite, il jeûnera 10 ans, dont les 3 premiers au pain et à l'eau et les 7 autres sans viande et sans pain ; il ne partagera plus jamais une chambre avec une personne de son sexe.

18. Quand un clerc fornique avec une femme, mais sans la rendre enceinte — et que sa faute soit demeurée secrète — le jeûne sera de 3 ans, s'il s'agit d'un clerc (dans les ordres inférieurs), de 5 ans s'il s'agit d'un moine ou d'un diacre, de 7 ans s'il s'agit d'un prêtre et de 12 ans s'il s'agit d'un évêque.

[Parjure]

19. Quiconque fait un parjure sera puni de 7 ans de pénitence et ne sera plus admis à jurer à l'avenir.

[*Maléfices*]

20. Si quelqu'un a tué autrui en recourant à un maléfice, il jeûnera 3 ans au pain et à l'eau ; les 3 années suivantes, il s'abstiendra de viande et dans la septième année il sera reçu à la communion. Mais si le coupable a eu recours aux sortilèges dans les choses de l'amour — sans tuer personne — il jeûnera un an au pain et à l'eau s'il s'agit d'un clerc ; 6 mois, s'il s'agit d'un laïc, 2 ans, s'il s'agit d'un diacre, 3 ans, s'il s'agit d'un prêtre. Si le sortilège a eu comme effet un avortement, les coupables de chaque catégorie ajouteront à leur pénitence initiale 6 carêmes — ou bien seront punis comme les homicides.

[*Vol*]

21. Le clerc ayant commis un vol, à savoir s'il a enlevé un bœuf, un cheval, une brebis ou un autre animal domestique, rendra le bien volé et jeûnera 1 an au pain et à l'eau, s'il s'agit d'un premier et d'un second vol. Le clerc qui a l'habitude de commettre des vols, sans pouvoir rendre les larcins, jeûnera 3 ans au pain et à l'eau.

[*Incontinence des clercs mariés*]

22. Le clerc, qu'il soit diacre ou appartienne à un autre ordre de la cléricature, lequel au temps où il était encore laïc avait des fils et des filles et qui, après sa profession cléricale, a repris les relations conjugales avec sa femme et a eu un enfant d'elle, ce clerc a commis un adultère. Sa faute n'est pas moindre que s'il avait été clerc depuis son enfance et avait péché avec une jeune fille. Il a, en effet, péché après sa profession et après s'être consacré à Dieu et a transgressé sa promesse. Il jeûnera donc 7 ans au pain et à l'eau.

[*Coups et blessures*]

23. Le clerc qui a frappé dans une dispute son prochain et qui répand le sang jeûnera un an ; un laïc coupable de la même faute, jeûnera 40 jours.

[*Fautes sexuelles*]

24. Celui qui commet l'impureté seul ou avec un animal, jeûnera 2 ans, s'il n'est pas dans les ordres. S'il est clerc ou religieux, il jeûnera 3 ans, si son âge ne s'y oppose pas.

25. Celui qui a convoité une femme, mais n'est pas arrivé à ses fins parce que la femme l'a éconduit, jeûnera 6 mois au pain et à l'eau ; durant un an, il s'abstiendra de communier et se privera de vin et de viande.

[*Négligence envers l'Eucharistie*]

26. Celui qui laisse tomber l'Eucharistie (ou : perd l'Eucharistie en voyage) jeûnera pendant un an. Celui qui vomit l'Eucharistie parce qu'il est ivre ou qu'il a trop mangé — et ne l'a pas recueillie soigneusement — jeûnera au pain et à l'eau durant 3 carêmes. Si les vomissements ont été provoqués par la maladie, il jeûnera pendant 7 jours.

Tout ceci a été dit des clercs et des religieux ; la suite concerne les laïcs.

Pénitentiel laïque

[*Homicide*]

27. L'homicide jeûnera 3 ans au pain et à l'eau, sans porter les armes et vivra en exil. Après ces trois années, il reviendra dans sa patrie et se mettra au service des parents de la victime, en remplacement de celui qu'il a tué .Ainsi il pourra être réadmis à la communion, selon le jugement de son confesseur.

[Fautes sexuelles]

28. Un laïc qui a rendu enceinte la femme d'autrui, c'est-à-dire s'il a commis l'adultère en violant la couche de son prochain, jeûnera 3 ans, en s'abstenant des mets cuits à l'eau (allusion à la xérophagie). Il n'approchera pas de sa propre femme durant ce temps et paiera au mari trompé la composition légale prévue ; ensuite sa faute sera absoute par le confesseur.

29. Le laïc qui pratique la sodomie, c'est-à-dire qui s'unit à un homme comme l'on fait avec la femme, jeûnera 7 ans, dont les 3 premières années au pain et à l'eau, avec du sel et des légumes secs seulement. Les quatre autres années, il s'abstiendra de vin et de viande. Ainsi sa faute sera pardonnée et le confesseur priera pour lui et le réadmettra à la communion.

30. Le laïc marié qui a des relations charnelles avec une femme non mariée, à savoir une veuve ou une vierge, jeûnera pendant un an s'il s'agit d'une veuve, et deux ans s'il s'agit d'une vierge ; il versera aux parents de la jeune fille la composition légale prévue pour la défloration. Le coupable célibataire, qui donc s'est uni libre à une vierge, la prendra comme femme, avec l'accord des parents de la jeune fille ; les deux complices feront cependant un jeûne d'un an. Après, ils seront mari et femme.

31. Le laïc qui commet le crime de bestialité jeûnera 1 an, s'il est marié ; 6 mois s'il est célibataire. La même pénitence est prévue pour l'homme marié qui pratique la masturbation.

[Infanticide]

32. Le père ou la mère qui étouffent leur enfant en bas âge jeûneront 1 an au pain et à l'eau ; pendant les 2 années suivantes, ils s'abstiendront de vin et de viande. Ensuite, suivant l'avis du confesseur, ils seront réadmis à la communion, et le mari coupable pourra de nouveau licitement avoir des rapports charnels avec son épouse.

Il faut savoir aussi que les laïcs mariés, pendant la durée du jeûne qui leur est imposé, ne pourront avoir de relations conjugales avec leur femme. Ils y seront autorisés seulement après l'accomplisement de la pénitence, laquelle, en effet, ne doit pas être faite à moitié seulement.

[Vol]

33. Le laïc voleur, c'est-à-dire qui dérobe un bœuf, un cheval, une brebis ou un animal domestique, rendra d'abord le bien volé à son propriétaire et jeûnera 3 carêmes au pain et à l'eau, si c'est la première ou la seconde fois. Si, au contraire, le vol lui est habituel et s'il ne peut pas rendre son larcin, il jeûnera un an et 3 carêmes, promettra de ne plus jamais recommencer ; il pourra communier à Pâques de l'année d'après, c'est-à-dire après deux ans. Il donnera l'aumône aux pauvres et un repas au confesseur. Ainsi la faute qu'il a contracté par sa mauvaise habitude lui sera remise.

[Faux serment]

34. Le laïc qui commet un faux serment, par cupidité, vendra tous ses biens pour les distribuer aux pauvres et fera profession religieuse ; on lui coupera les cheveux, il quittera le monde et jusqu'à sa mort il servira Dieu dans un monastère. S'il s'est parjuré, non par cupidité mais par crainte de mourir, il jeûnera 3 ans au pain et à l'eau ; il abandonnera le service armé et vivra en exil. Les deux années suivantes, il s'abstiendra de vin et de viande. Il rachètera son âme, c'est-à-dire il libérera un de ses esclaves, homme ou femme. Il fera d'abondantes aumônes durant 2 ans ; pendant ces 2 années il pourra manger de tout, sauf de la viande. Après une septième année de pénitence, il communiera.

[Assassinat]

35. Si un laïc, par provocation (dans un guet-apens) a répandu le sang d'autrui ou a blessé son prochain ou l'a rendu infirme, il sera tenu à compenser le mal qu'il a fait. S'il n'a

pas de quoi payer, il s'occupera des affaires de sa victime aussi longtemps que celle-ci sera malade ; il enverra quérir un médecin et, après la guérison, il jeûnera 40 jours au pain et à l'eau.

[Ivresse]

36. Le laïc qui s'enivre ou mange et boit jusqu'à vomir, jeûnera une semaine au pain et à l'eau.

[Désir de fornication]

37. Si un laïc a voulu commettre l'adultère et a convoité la femme de son prochain, mais que, éconduit par la femme, il n'a pas pu arriver à ses fins : parce qu'il était disposé à commettre l'adultère, il confessera sa faute au prêtre et jeûnera 40 jours au pain et à l'eau.

[Idolâtrie et hérésie]

38. Le laïc qui fait des repas ou des libations près des lieux sacrés païens : s'il a agi par ignorance et promet de ne plus recommencer, il jeûnera 40 jours au pain et à l'eau. S'il a agi par mépris, c'est-à-dire après que le prêtre l'aura averti que son acte constitue un sacrilège, et qu'il mange néanmoins à la table des démons : si le coupable a agi ainsi par gourmandise seulement, il jeûnera 3 carêmes au pain et à l'eau. Mais si le coupable a voulu par son acte rendre un culte aux démons et honorer les idoles, il fera 3 ans de pénitence.

39. Si un laïc, par ignorance, est entré en communion avec les bonosiens (hérésie christologique) ou avec d'autres hérétiques, il sera placé au rang des catéchumènes, c'est-à-dire il sera séparé des autres chrétiens, durant 40 jours. Durant 2 autres carêmes, il expiera le crime d'avoir été en communion avec les sectateurs d'une hérésie absurde, en se plaçant au dernier rang des fidèles, à savoir parmi les pénitents publics. Si le coupable a agi par mépris, c'est-à-dire après avoir été

averti par le prêtre et après avoir reçu l'interdiction de se souiller par une telle communion avec des réprouvés, il jeûnera 1 an et 3 carêmes ; durant 2 ans il s'abstiendra de vin et de viande. Alors seulement, après l'imposition des mains par un évêque catholique, il sera réadmis à l'autel (pour communier).

Il nous faut maintenant traiter des délits mineurs que peuvent commettre certains moines.

Règlement monastique pour les religieux autorisés à sortir du couvent

[Clôture]

40. Si un moine a laissé ouvertes durant la nuit les portes de clôture, il jeûnera 2 jours ; si la négligence s'est produite en plein jour, il recevra 24 coups de bâton. Si un moine quitte sans permission (le monastère), il jeûnera 2 jours.

[Le bain du moine]

41. Le moine (de retour au monastère) qui va prendre seul un bain, sans permission, jeûnera 2 jours. Le moine qui, autorisé à se baigner, se lave debout devant ses confrères, sera puni de 24 coups de bâton — sauf si une boue trop tenace réclame de plus larges ablutions.

42. Le moine qui, assis dans la salle de bains, découvre ses bras et ses jambes sans nécessité, sera privé de bain durant 6 jours, c'est-à-dire que ce baigneur indécent ne se lavera plus les pieds jusqu'au dimanche suivant. Le moine (encore jeune) pourra laver ses pieds en restant debout, à condition qu'il soit seul. Le moine âgé pourra laver ses pieds même en public. Quand un confrère lave les pieds d'un autre, il est permis de faire sa toilette debout.

[*Le sermon*]

43. Avant le sermon, le dimanche, tous seront présents, sauf circonstances particulières. Personne ne manquera, sauf le portier et le cuisinier ; ceux-là feront en sorte, s'ils le peuvent, d'arriver quand retentit la cloche au moment de l'évangile.

[*La confession*]

44. Nous ordonnons de se confesser promptement, en avouant surtout les impulsions et les mouvements passionnels, avant d'aller à la messe, pour que personne ne s'approche indignement de l'autel, c'est-à-dire sans avoir un cœur pur (Ps L, 12). Il vaut mieux attendre (pour communier) que le cœur soit pur, libre de présomption et de haine que d'approcher témérairement du tribunal. L'autel du Christ est, en effet, un tribunal et son Corps et son Sang jugent ceux qui s'approchent sans en être dignes. De même qu'il faut se garder des fautes graves et charnelles avant de communier, de même il faut éviter les faiblesses cachées et les langueurs spirituelles, avant de participer à la paix et au salut éternel.

4. *LE PÉNITENTIEL DE BÈDE (VII° SIÈCLE)*

(Éd. WASSERSCHLEBEN, pp. 220-230 ; SCHMITZ, I, pp. 556-562 [d'après le manuscrit de Munich, *clm.* 12 673, que nous suivons ici].)

Avec le pénitentiel attribué à Bède, nous avançons dans la période de l'apogée des livres insulaires du nouveau cycle. Il n'est pas exclu que l'auteur du livret soit le célèbre presbytre Bède le Vénérable (vers 672/673-735), l'auteur de l'**Histoire de l'Église d'Angleterre**. Les arguments allégués contre l'authenticité ne paraissent, en effet, pas décisifs.

Quoiqu'il en soit, l'opuscule appartient au VIII° siècle et l'on y relève un certain souci de grouper en subdivisions logiques les différents canons (fornication, meurtre, faux serment, ivrognerie et crapule, prescriptions alimentaires, règlements relatifs à l'eucharistie). L'importance du livret a été considérable car il a servi de source à une lignée nouvelle de pénitentiels du VIIIe siècle finissant et du IXe siècle.

I. Diverses stipulations canoniques

Nous avons extrait les textes ci-dessous de documents anciens ; cependant, nous avons usé non de la sévérité habituelle au juge, mais plutôt d'indulgence. Nous recommandons à chaque prêtre de s'instruire dans tous les tarifs qu'il lira ici et de considérer avec soin le sexe, l'âge, la condition sociale, l'état et la personne de chaque pénitent ; il prendra en considération les dispositions intérieures, et portera un jugement circonstancié, selon ce qui lui semblera le mieux. A certains il conseillera le jeûne, à d'autres l'aumône, les génuflexions, la station debout avec les bras en croix, la récitation des psaumes ou tout autre exercice du même genre, fait pour expier les péchés. A beaucoup de pénitents on conseillera toutes ces mortifications à la fois. Mais il est indispensable que le pécheur se corrige de ses fautes, selon l'appréciation d'un prêtre jugeant avec circonspection.

II. De la fornication

1. Le jeune homme qui pèche avec une jeune fille vierge : 1 an de jeûne.

2. Si la faute a été commise une seule fois et occasionnellement, la peine sera moindre.

3. Si la jeune fille et le jeune homme ont 20 ans, ils jeûneront trois fois 40 jours, en plus des jours officiels de jeûne.

4. Si à cause de ce péché les deux complices ont été réduits en servage, ils jeûneront 40 jours seulement.

5. S'il s'agit d'une veuve, et donc d'une femme déjà déflorée, ils jeûneront un an et observeront les jours officiels de jeûne de l'année suivante.

6. Si les relations coupables ont abouti à une naissance, ils jeûneront 2 ans, et moins rigoureusement les 2 années suivantes.

7-9. Si un religieux a des relations coupables avec une femme laïque : le moine jeûnera 3 ans, la femme 2 ans. Si ces relations ont abouti à une naissance, ils jeûneront 4 ans. S'ils tuent l'enfant : 7 ans de jeûne. Les diacres qui ne sont pas moines feront pénitence comme les moines non ordonnés ; le prêtre fera 7 ans de pénitence.

10. Le laïc qui a des relations coupables avec une religieuse : 7 ans de pénitence pour le laïc, 3 ans pour la religieuse.

11. Le moine qui a des relations coupables avec une religieuse : 7 ans de pénitence.

12. Un homme marié qui déflore une jeune fille vierge : pénitence identique.

13. Le célibataire qui a des relations coupables avec la femme d'autrui : 2 ans de jeûne.

14. L'homme marié qui a des relations coupables avec une femme mariée : 3 ans de jeûne et, durant la première année, l'homme marié vivra sans approcher sa femme.

15-16. L'homme marié qui a des relations coupables avec son esclave : 1 an de jeûne et 3 fois 40 jours ; les 3 premiers mois il n'approchera pas sa femme. L'esclave qui a subi contre sa volonté les relations fera 40 jours de jeûne ; mais si elle était consentante : 3 fois 40 jours. Si un enfant vient à naître, l'esclave sera libérée et le coupable fera pénitence comme il est indiqué ci-dessus.

17. Le frère qui déflore sa propre sœur : 5 ans de jeûne.

18. Le fils qui a des relations coupables avec sa mère : 7 ans de jeûne ; de plus, il observera la continence toute sa vie.

19-22. Les sodomites feront 4 ans de jeûne ; les moines et les récidivistes : 7 ans. En cas de sodomie incomplète : 3 fois 40 jours. Si un jeune garçon a été ainsi souillé : 40 jours de jeûne ; ou bien il expiera en observant la continence ou bien il récitera des psaumes.

23. Les lesbiennes feront 3 ans de pénitence.

24. (Lesbianisme entre religieuses, *per machinam*) : 7 ans de pénitence.

25-26. Crime de bestialité : un an de pénitence ; si le coupable est un moine : 2 ans. Les animaux souillés par les hommes seront abattus ; ils ne seront pas abattus s'il y a doute.

27. Les relations coupables entre homme et femme (libres), sont punies de 3 ans de jeûne ; plus fréquente et plus habituelle est la faute, plus grande et plus sévère sera la pénitence.

28. Celui qui, durant une longue période vit dans la fornication, le parjure, le vol et autres vices, fera 7 ans de pénitence.

29. (Onanisme d'une mère avec son enfant en bas âge) : 2 ans de jeûne et 3 fois 40 jours.

30-31. (Onanisme réciproque entre enfants) : 40 jours de jeûne. (Sodomie incomplète entre enfants) : 100 jours de jeûne ; s'ils sont plus âgés : 3 fois 40 jours.

32. Un jeune garçon corrompu par un garçon plus âgé fera 7 jours de jeûne ; s'il était consentant : 20 jours.

33. Celui qui s'est souillé en embrassant une femme : 20 jours ; (attouchements impudiques) : 3 mois de jeûne.

34. Pollution volontaire, si le coupable est un enfant : 30 jours de jeûne ; s'il est adolescent : 60 jours.

35. Pollution consécutive à des entretiens obscènes : 7 jours de jeûne plus 50 psaumes — le mercredi et le vendredi le jeûne durera jusqu'à l'heure de none ou de vêpres.

36. Pollution involontaire : 7 jours.

37. L'homme marié s'abstiendra de relations conjugales 40 jours avant Noël et Pâques ; de même, les dimanches, le mercredi et le vendredi. Il s'abstiendra aussi depuis le début de la grossesse de sa femme jusqu'au trentième jour après la naissance — si c'est un garçon — ou jusqu'au quarantième jour, si c'est une fille. De même, durant les règles. Celui qui contrevient à cette continence périodique jeûnera 40 jours ; s'il enfreint la continence dominicale : 7 jours.

38. (Relations conjugales obverses, mais non sodomites : 40 jours de jeûne.

39. (Relations sodomites entre époux) : 3 ans de jeûne.

40. Le père dont l'enfant est mort sans baptême fera un an de jeûne et, sa vie durant, il accomplira toujours quelque œuvre de pénitence.

41. Le curé qui en avait le devoir, mais n'est pas venu quand il a été appelé (pour le baptême d'un enfant), sera taxé selon l'estimation de son évêque.

42. Tous les fidèles ont le droit, et donc le devoir, de sauver du démon, par le baptême, les mourants non baptisés qu'ils peuvent rencontrer. Le baptême se donne avec de l'eau bénite au nom du Seigneur, au nom du Père et du Fils et de l'Esprit-Saint, en plongeant les mourants dans l'eau ou en faisant couler de l'eau sur eux. Les fidèles qui le peuvent, et surtout les moines, seront instruits dans la manière de baptiser ; s'ils entreprennent un long voyage, ils porteront toujours avec eux l'eucharistie (conférée toujours après le baptême).

III. Du meurtre

1. L'assassin d'un moine, ou d'un clerc, quittera le service des armes et entrera au service de Dieu, ou bien fera 7 ans de pénitence.

2. Qui tue par haine ou par cupidité une personne laïque : 4 ans de pénitence.

3. Qui tue pour venger son frère : un an de jeûne et pendant les 2 années suivantes 2 fois un Carême, et les jours de jeûne obligatoires.

4. Qui tue dans un mouvement de colère ou au cours d'une altercation : 4 ans de jeûne.

5. Qui tue accidentellement : un an de jeûne.

6. Le soldat qui tue au cours d'une guerre : 40 jours de jeûne.

7. Le serf (l'esclave) qui tue sur ordre de son maître : 40 jours de jeûne.

8. L'homme libre qui tue sur l'ordre de son supérieur fera un an de jeûne et, durant 2 années, il observera le Carême et les jours officiels de jeûne.

9. Celui qui, dans une dispute, a blessé autrui ou l'a rendu infirme par les coups qu'il lui a portés, paiera le médecin et la composition légale prévue pour son acte ; il travaillera pour sa victime jusqu'à la guérison et jeûnera ensuite pendant 6 mois. S'il ne peut pas payer, il fera un an de jeûne.

10. Le laïc qui a l'intention de blesser autrui mais non l'intention de le tuer fera 3 semaines de jeûne ; s'il s'agit d'un clerc qui a cette intention, il fera 6 mois de jeûne.

11. Si, effectivement, le laïc en question a blessé autrui : 40 jours de jeûne. Un clerc, dans les mêmes conditions, fera un an de jeûne complet et paiera la composition légale prévue pour la blessure.

12. La mère qui tue l'enfant qu'elle porte dans son sein, avant le quarantième jour qui suit la conception, jeûnera pendant un an. Si elle tue l'enfant après le quarantième jour qui suit la conception, elle jeûnera 3 ans. Mais il y a une grande différence entre la femme pauvre qui a tué son enfant parce qu'elle ne pouvait pas le nourrir et la dévergondée qui tue pour cacher son crime.

IV. Du serment

1. Qui fait un faux serment sous la pression de son maître : 3 jeûnes de 40 jours et, en outre, les jeûnes officiels.

2. Qui sciemment se parjure devant l'évêque, ou devant le curé, sur l'autel ou sur une croix consacrée : 3 ans de jeûne.

3. Qui a fait un faux serment, séduit par autrui et par ignorance et qui reconnaît ensuite son erreur : un an de jeûne.

4. Qui porte un faux témoignage contre autrui jeûnera suivant la gravité de son cas.

5. Qui maudit, dans un accès de colère, son frère, ira se réconcilier avec lui et jeûnera 7 jours.

6. Qui accuse autrui faussement, par haine, ou se fait complice d'une accusation mensongère, jeûnera 4 jours. Si l'accusation est portée contre un supérieur : 7 jours.

7. Celui, qui, au contraire, dissimule le crime commis par autrui et qui, selon le précepte évangélique, ne réprimande pas son frère d'abord d'homme à homme, ensuite devant les autres et enfin devant la communauté entière, si besoin est — celui-là jeûnera un temps égal à celui pendant lequel a duré son silence complice.

8. Le clerc ou le moine qui s'est disputé se réconciliera avec son adversaire et jeûnera 7 jours.

V. De l'ivrognerie

1. Celui qui boit jusqu'à vomir jeûnera 40 jours, s'il est prêtre ou diacre ; 30 jours, s'il est religieux ; 12 jours, s'il est laïc.

2. Vomir par maladie n'est pas une faute.

3. Qui vomit pour avoir trop mangé : 3 jours de jeûne.

4. Qui vomit après avoir communié : 7 jours de jeûne.

5. Un fidèle vomit après un long jeûne — et non par habitude de boire — quand un jour de fête il a bu un peu trop, sans pour autant dépasser la mesure : celui-là sera traité avec indulgence.

6. Qui s'enivre malgré la défense faite par son maître, mais sans vomir, fera 7 jours de jeûne.

VI. Des aliments impurs

1. Celui qui mange une viande impure ou une charogne ou un animal déchiré par les bêtes, jeûnera 40 jours.

2. Mais s'il l'a fait parce que la faim le tenaillait, son crime est beaucoup moins grave.

3. Si une souris tombe dans la boisson, on enlèvera la bestiole et on aspergera le liquide d'eau bénite ; ensuite, la boisson peut être employée. Si la souris s'est noyée dans le liquide, on jettera toute la boisson et personne ne s'en servira.

4. Si le liquide où s'est noyée une souris ou une belette est abondant, on enlèvera les bêtes mortes et on aspergera le liquide d'eau bénite ; ensuite la boisson peut servir, si besoin est.

5. Si les oiseaux lâchent leur fiente dans une grande quantité de liquide, on enlèvera les excréments, on purifiera la boisson avec de l'eau bénite et l'on en boira.

6. Celui qui avale du sang avec sa salive, sans le savoir, n'a pas de faute. Mais s'il le sait, il fera pénitence comme pour une pollution.

7. Celui qui travaille le dimanche jeûnera 7 jours.

8. Celui qui jeûne le dimanche, par inadvertance, jeûnera

aussi toute la semaine qui suit. S'il recommence : 20 jours de jeûne ; s'il persiste : 40 jours de jeûne.

9. Celui qui communie après avoir mangé : 7 jours de jeûne.

10. L'eucharistie gardée trop longtemps et corrompue sera jetée au feu.

11. Celui qui laisse tomber à terre l'eucharistie, ou celui par la faute de qui les oiseaux viennent à manger le pain eucharistié, jeûnera 7 jours, si c'est un accident ; si c'est par négligence : 3 fois 40 jours.

5. LE « GUÉRISSEUR OU MÉDECIN » DE BURCHARD DE WORMS

(Ed. WASSERSCHLEBEN, pp. 631-665 ; SCHMITZ, II, pp. 409-452, texte que nous suivons pour notre traduction, en tenant compte des corrections apportées par FRIEDBERG ; le texte figure aussi dans la PL 140, 951-976.)

(*Corrector sive Medicus* : BURCHARD DE WORMS, *Décret,* livre XIX) [vers 1008-1012].

Il est établi que Burchard, évêque de Worms (965-1025), canoniste célèbre durant tout le Moyen Age (les termes « brocard », « brocarder » dérivent de son nom), est l'auteur du livre XIX de son **Décret**, appelé « Guérisseur ou Médecin ». Ce livre fait partie intégrante du **Décret** rédigé dans les années 1008-1012, bien qu'il ne soit pas douteux que Burchard ait utilisé pour la rédaction des collections antérieures. Il ne s'agit donc pas d'un pénitentiel qui aurait existé d'abord à l'état indépendant et aurait été incorporé par l'évêque de Worms dans sa collection.

Le **Médecin** de Burchard, est le dernier en date des pénitentiels proprement dits. En raison de l'influence qu'il a exercée durant des siècles par sa diffusion même, on ne saurait exagérer l'importance de l'ouvrage. Sans aller jusqu'à prétendre que le **Médecin** de Burchard, ait été le « pénitentiel des Églises de Germanie » — car il y eut, nous l'avons dit, bien d'autres familles de pénitentiels en circulation —, l'on peut tenir pour certain que l'œuvre reflète exactement les préoccupations morales des évêques et la situation concrète des paroisses chrétiennes, au moins durant le X° siècle. L'œuvre de Burchard est un document capital pour l'histoire de la morale et pour l'histoire des mœurs tout court.

I. Homicide, assassinat, coups et blessures

1-6. As-tu commis un homicide volontairement et sans nécessité, en dehors de la guerre, par cupidité, pour t'approprier les biens d'autrui ? Si oui, tu jeûneras pendant 40 jours de manière continue — ces 40 jours sont dits communément carême — au pain et à l'eau. Ensuite, durant 7 années consécutives, tu feras comme suit. La première année après les 40 jours, tu t'abstiendras complètement de vin, de bière, de lard, de fromage et de tout poisson gras, sauf les jours de fête diocésaines. Si tu es en voyage ou à la guerre, ou si tu es malade, tu pourras racheter ton jeûne, le mardi, le jeudi et le samedi, en versant un denier ou l'équivalent d'un denier, ou encore en donnant à manger à trois pauvres. Mais même durant ces jours « rachetés », tu n'useras que de l'une des trois boissons, à savoir de vin ou de bière ou de cervoise au miel. Revenu chez toi ou si tu es guéri, il t'est interdit de racheter financièrement ton jeûne. Après cette première année, tu seras admis de nouveau à l'église et l'on te donnera le baiser de paix. La seconde et la troisième année, tu jeûneras de la même manière, sauf que le mardi et le vendredi, tu es autorisé à racheter ton jeûne au prix indiqué ci-dessus, dans n'importe quelle circonstance.

Durant les 4 années qui restent, tu jeûneras 3 carêmes, aux jours fixés : le premier carême avant Pâques, avec les autres fidèles, le second carême avant la fête de Jean-Baptiste, le troisième carême avant Noël. Durant ces périodes, tu t'abstiendras de vin, de bière, de cervoise au miel, de viande, de lard, de fromage et de poissons gras. Le mardi, le jeudi et le samedi, tu mangeras ce qui te plaira. Tu pourras racheter ton jeûne du lundi et du mercredi, au tarif indiqué ci-dessus. Mais le vendredi, tu devras toujours jeûner au pain et à l'eau.

Après cette pénitence, tu recevras la sainte communion —

mais à condition que durant toute ta vie tu fasses pénitence et que tu jeûnes le vendredi au pain et à l'eau ; si tu veux, tu pourras racheter ton jeûne au tarif fixé plus haut.

Nous t'accordons par bonté, mais non d'après les stipulations canoniques, ces adoucissements. Les canons disent en effet : Si quelqu'un tue volontairement et par cupidité, qu'il quitte le monde, entre dans un couvent et serve Dieu humblement.

Après cette pénitence, tu recevras la sainte communion — mais à condition que durant toute ta vie tu fasses pénitence et que tu jeûnes le vendredi au pain et à l'eau ; si tu veux ,tu pourras racheter ton jeûne au tarif fixé plus haut.

7. As-tu commis un homicide pour venger tes parents ? Si oui, tu jeûneras un carême, c'est-à-dire 40 jours, et de même les 7 années suivantes, car le Seigneur a dit : « A moi appartient la vengeance, c'est moi qui rendrai ce qui est dû. »

8. As-tu commis un homicide sans le vouloir, ayant seulement l'intention, dans ta colère, de frapper autrui — sans l'intention de tuer ? Si oui, tu jeûneras 40 jours au pain et à l'eau — c'est-à-dire un carême — et durant 7 années consécutives (avec l'organisation du jeûne comme plus haut).

9. As-tu tué à la guerre, sur l'ordre d'un prince légitime qui faisait la guerre pour rétablir la paix ? As-tu assassiné le tyran qui s'appliquait à troubler la paix ? Si oui, tu jeûneras 3 carêmes, les jours prescrits. Mais s'il en a été autrement, en dehors d'un ordre du prince légitime, tu feras pénitence comme pour un homicide volontaire (organisation du jeûne comme plus haut).

10. As-tu tué un esclave de ton maître — étant toi-même un homme libre — qui ne t'avait rien fait, mais uniquement sur l'ordre de ton maître ? Tu jeûneras 40 jours — un carême — au pain et à l'eau, et 7 années consécutives. Ton maître fera de même, à moins que l'esclave en question ait été un voleur ou un brigand ou que ton maître ait ordonné le meurtre pour la paix générale.

11. Mais si, étant esclave toi-même, tu as tué ton camarade esclave sur l'ordre de ton maître, c'est ton maître qui devra faire pénitence (comme prévu dans l'article 10).

12. As-tu conseillé de commettre un homicide, sans l'accomplir toi-même, et quelqu'un a-t-il été tué à cause de tes conseils ?

Tu jeûneras 40 jours — un carême — au pain et à l'eau, et
les 7 années suivantes.

13. As-tu espionné et surpris autrui et l'as-tu livré aux
mains de ses ennemis qui l'ont tué ? (Même jeûne qu'à
l'article 12.)

14. As-tu, en compagnie d'autres personnes, attaqué un
homme, dans sa propre maison, dans la maison d'un autre ou
dans un endroit quelconque où il s'était réfugié, et as-tu
lancé une pierre contre lui, une flèche ou un javelot pour
le tuer ? Cet homme a-t-il été tué par quelqu'un de ta bande,
sans que toi-même le blesses ou le tues ? (Même jeûne qu'à
l'article 12).

15. As-tu commis un parricide, c'est-à-dire as-tu tué ton
père, ta mère, ton frère, ta sœur, ton oncle paternel ou mater-
nel, ta tante ou une autre parente ? Si tu l'as fait accidentellement, involontairement et sans colère, tu feras pénitence
comme pour un homicide volontaire. Mais si tu as commis ce
parricide avec préméditation ou colère, tu feras pénitence
comme suit : pendant un an tu te tiendras devant le porche
de l'église, en invoquant la miséricorde de Dieu. Après cette
année, tu seras admis à l'intérieur de l'église, mais tu te tiendras
dans un coin pendant un an. Ensuite, si l'on constate chez
toi quelque fruit de ta pénitence, tu pourras participer au
Corps et au Sang du Christ, afin que tu ne sombres pas dans
le désespoir. Durant toute ta vie tu ne mangeras plus de viande.
Chaque jour, tu jeûneras jusqu'à l'heure de none (15 heures),
sauf les jours de fête et les dimanches. Tu t'abstiendras de vin,
d'hydromel et de bière (cervoise), trois jours par semaine. Tu ne
feras plus la guerre, si ce n'est contre les païens. Où tu iras,
tu ne te serviras pas d'un véhicule, mais tu marcheras. Si tu
es marié, tu pourras rester avec ta femme ; si tu es célibataire,
tu ne te marieras pas. La durée de cette pénitence dépendra de
ton évêque qui pourra, suivant la manière dont tu te conduis,
ou l'abréger ou la prolonger.

16-20. As-tu commis un homicide involontaire ? Sans vouloir tuer ou blesser quiconque, sans colère, ni avec un bâton, une
épée ou un fouet ? As-tu tué autrui pendant un voyage, pendant
une chasse dans la forêt, croyant tuer une bête sauvage — et à

l'improviste, à ton insu, tu as confondu ta victime avec un animal ?

As-tu tué ton frère, ton fils ou un autre pendant une compétition, en voulant atteindre un objet ou un animal, avec une flèche, un bâton ou une pierre ? Ou encore : as-tu tué un homme en lançant par jeu une pierre, en un lieu ou tu ne voyais personne — sans viser.

Ou encore : as-tu été contraint d'engager une lutte et toi, plus fort, tenais-tu ton adversaire sous toi — ou inversement — et l'as-tu blessé à mort par ton couteau ou par le sien ?

Ou encore : quand tu étais occupé à un travail urgent, la hache s'est-elle échappée de ta main, le fer s'est-il cassé et détaché du manche et ton compagnon ou ton frère a-t-il été tué de la sorte ?

Si tu as fait ainsi, sans aucune mauvaise intention contre la victime, tu jeûneras selon la coutume 40 jours — un carême, et tu feras pénitence durant les 5 années suivantes. (Détail des jeûnes à observer avec possibilité de rachat en espèces).

21. Si avec ton frère ou ton compagnon tu es allé à la forêt couper du bois, et qu'au moment où l'arbre allait tomber, tu leur as crié de se mettre à l'abri et qu'ils ont été écrasés, tu es innocent de leur mort.

22. Mais si, par insouciance ou par négligence, tu n'as pas averti ton compagnon de la chute de l'arbre, tu devras faire pénitence comme pour un homicide — moins sévèrement toutefois que si tu avais tué sciemment.

23-24. As-tu tué ton maître, as-tu pris part au complot ourdi contre lui ? As-tu tué ta femme, laquelle est une partie de toi ? Si oui, nous t'indiquons deux modes d'expiation ; tu choisiras celui qui te convient davantage.

Le premier : Quitte ce monde misérable et entre au couvent ; humilie-toi sous l'autorité de l'abbé et fais en toute humilité ce qu'il te commandera.

Le second : Quitte le service militaire et toutes les affaires temporelles. Abstiens-toi de viande et de lard, tous les jours de ta vie — sauf le jour de Pâques, de Pentecôte et de Noël. Les autres jours, fais pénitence au pain et à l'eau et ne mange que rarement des légumes et des fruits. Passe ton temps à prier, à jeûner, à veiller et faire l'aumône. Ne bois ni vin, ni hydromel, ni cervoise, sauf aux trois jours indiqués. Tu ne te marieras pas, tu ne tiendras pas de concubine. Tu ne te baigneras plus jamais, tu ne monteras plus à cheval et n'engageras plus de procès. Tu ne prendras plus part aux banquets. Tu te tiendras séparé des autres fidèles, immédiatement derrière le porche de l'église, en te recommandant avec humilité aux prières de ceux qui entrent ou sortent. Tu te jugeras indigne de communier toute ta vie — mais tu recevras le viatique à l'heure de ta mort.

25. As-tu tué, ou as-tu pris part à un complot ourdi contre un pénitent public qui avait revêtu l'habit qu'endossent ceux qui jeûnent une quarantaine ? Si oui : tu jeûneras autant que le devait la victime et tu feras la pénitence prévue pour les assassins.

26. As-tu coupé la main ou le pied à ton prochain ? Lui as-tu arraché les yeux ou l'as-tu blessé ? (Pénitence variable suivant la gravité de la blessure).

27. As-tu tué un voleur ou un brigand, alors que tu pouvais l'appréhender sans le tuer ? (Jeûne de 40 jours).

28. As-tu dénoncé autrui qui par ta faute a été tué — sauf pour maintenir la paix ? Si oui : 40 jours de jeûne au pain et à l'eau. S'il n'a été que mutilé : un jeûne de 3 carêmes, aux jours fixés.

29. As-tu enlevé autrui et l'as-tu conduit en un lieu où il a été tué ou mutilé ? (Même pénitence qu'à l'article 28).

30. As-tu tué de tes mains ou as-tu incité un autre à tuer un ecclésiastique, un psalmiste, un portier, un lecteur, un exorciste, un acolyte, un sous-diacre, un diacre ou un prêtre ? Si tu l'as fait, tu devras pour chaque victime faire pénitence autant de fois qu'elle avait reçu d'ordres sacrés. (Calcul des jours de jeûne sur la base d'un ordre sacré égal à 40 jours de jeûne au pain et à l'eau, plus 7 ans de pénitences variées).

II. Faux serment et vœux imprudents

31. As-tu commis un faux témoignage par cupidité ? Si oui : 40 jours de jeûne et 7 ans de pénitence.

32. As-tu fait un faux serment volontairement, ou as-tu induit d'autres à commettre ce crime ? (Même pénitence qu'à l'article 31).

33. As-tu commis un parjure sous la contrainte, par nécessité ou pour sauver ta vie ? Parce que tu as aimé ton corps plus que ton âme, tu jeûneras 40 jours continus et tous les vendredis de l'année au pain et à l'eau, sans pouvoir te racheter.

34. As-tu promis le mariage, sous serment, à une prostituée ou à une femme adultère ou as-tu fait quelque promesse de ce genre qui va à l'encontre du droit canonique ? Repens-toi de ta promesse et romps ton vœu, car c'est mieux et plus juste que de vivre dans le stupre ou dans une situation honteuse. Il est écrit : Les vœux injustes doivent être rompus.

35. As-tu juré par les cheveux de Dieu le Père ou par sa tête, ou as-tu commis d'autres blasphèmes de ce genre ? Si tu l'as fait une fois en passant : 7 jours au pain et à l'eau. Si tu l'as fait plus souvent : 25 jours au pain et à l'eau. Si tu as juré par le ciel ou la terre, par le soleil ou la lune, ou par toute autre créature : 15 jours au pain et à l'eau.

36. Si tu t'es engagé par serment de ne jamais faire la paix avec l'un de tes ennemis, tu ne communieras pas pendant un an au Corps et au Sang du Seigneur, à cause de ton serment immoral ; tu jeûneras 40 jours au pain et à l'eau. Reviens vite à l'amour fraternel qui couvre une multitude de péchés.

37. Si tu as déclaré de faire ou si tu t'es engagé par serment à faire ce qui déplaît à Dieu, tu feras pénitence suivant la qualité de la faute à laquelle tu t'es engagé ; ce que tu as déclaré présomptueusement et injustement sera annulé. Si tu as promis de faire une chose qui aurait des conséquences néfastes, nous exigeons, suivant les décrets conciliaires, que tu ne l'accomplisses pas.

38-40. (Diverses modalités de vol.)

41-57. (Fautes contre la morale conjugale.)

58. As-tu fait un faux témoignage, à savoir as-tu déclaré vrai ce qui était faux, par sympathie pour quelqu'un, par l'espoir d'un gain ou par crainte ? Si tu l'as fait, tu dois faire pénitence comme les adultères et les assassins.

III. Violation des tombes

59. As-tu violé une tombe, à savoir quand tu as vu que l'on enterrait quelqu'un, tu es allé la nuit ouvrir la tombe et enlever les vêtements ? Si oui : un jeûne de 2 ans.

IV. Sorcellerie

60. As-tu consulté les sorciers, les as-tu introduits chez toi pour rechercher un objet perdu ou pour faire des purifications ? As-tu, selon les habitudes des païens, consulté des devins — tels que des prophètes — pour connaître l'avenir ? As-tu consulté les jeteurs de sorts, les devins, les augures ou les enchanteurs ? Si oui : 2 ans de jeûne.

[1. Le hurlement aux astres]

61. Les traditions païennes, comme un héritage diabolique, se transmettent jusqu'à nos jours de père en fils : l'on adore les éléments, lune ou soleil, le cours des étoiles, la nouvelle lune, l'éclipse de la lune, l'on essaie de redonner son éclat à la nouvelle lune par des cris ou autrement, l'on pousse des hurlements pour venir au secours des astres ou pour en attendre du secours, l'on attend la nouvelle lune pour construire les maisons ou pour contracter mariage. Si tu as fait cela : 2 ans de jeûne.

[2. Superstitions du Nouvel An]

62. As-tu célébré les calendes de janvier (Nouvel An) selon les coutumes païennes ? As-tu entrepris un travail exceptionnel ou inusité à l'occasion de l'année nouvelle, un travail que tu ne fais ni avant ni après — à savoir : disposer sur ta table des pierres ou donner un festin, conduire par les rues et les places

des chanteurs et des danseurs, t'asseoir sur le toit de ta maison, ceint de ton épée afin de voir et de connaître ce qui t'arrivera dans l'année nouvelle, t'asseoir à la croisée des chemins sur une peau de taureau pour deviner l'avenir, cuire du pain la nuit du 1er janvier pour toi personnellement pour savoir si l'année nouvelle te sera prospère suivant que la pâte lève et prend consistance ? Si oui — parce que tu as abandonné Dieu ton créateur, que tu t'es tourné vers les vaines idoles et que tu es devenu apostat — tu jeûneras 2 ans aux jours officiels.

[3. *Envoûtement d'animaux*]

63. As-tu lié les aiguillettes ? As-tu fait des envoûtements et des charmes comme le font les impies, tels que les porchers, les vachers et parfois les chasseurs, quand ils récitent des incantations diaboliques sur du pain ou des herbes et sur des bandelettes nouées qu'ils cachent dans les arbres ou qu'ils jettent aux bifurcations ou aux croisées des chemins, afin de guérir leurs bêtes ou leurs chiens de la peste et des maladies ou, au contraire, pour ruiner le cheptel du voisin ? Si oui : 2 ans de jeûne.

[4. *Envoûtement de la laine*]

64. As-tu assisté ou participé aux sottises auxquelles se livrent les fileuses de laine ? Quand elles commencent leur toile, elles prétendent pouvoir entremêler si inextricablement — par leurs envoûtements et manigances diaboliques — les fils de l'ourdissure et la trame du tissage au point que sans nouvelles incantations la pièce tout entière est inutilisable ? Si oui : 30 jours de jeûne.

[5. *Cueillette des simples*]

65. As-tu ramassé des herbes médicinales en récitant des incantations impies, au lieu de dire le symbole et l'oraison dominicale, à savoir le Credo et le Pater ? Si oui : 10 jours de jeûne.

[6. *Superstitions sylvestres*]

66. As-tu fait ta prière ailleurs qu'à l'église ou dans un lieu consacré que ton évêque ou ton curé a désigné, à savoir près d'une source, près des tas de pierres, près des arbres ou aux croisées des chemins ? Y as-tu allumé une torche ou un cierge en signe de vénération ? Y as-tu apporté du pain ou toute autre offrande ? Y as-tu mangé ou prié pour la santé de ton corps ou de ton âme ? Si oui : 3 ans de jeûne.

[7. *Virgiliennes*]

67. As-tu tiré les sorts en ouvrant au hasard un manuscrit ou en pointant les tablettes à écriture, comme le font beaucoup de gens, qui prennent à cet effet le Psautier, l'Évangéliaire ou tout autre livre sacré ? Si oui : 10 jours de jeûne.

[8. *Sorcellerie cosmique*]

68. As-tu cru ou as-tu participé à l'impiété à laquelle se livrent les sorciers ? Ils prétendent faire le temps et avoir la puissance de faire se lever les tempêtes et de modifier le comportement des hommes. Si oui : un an de jeûne.

[9. *Ligatures*]

69. As-tu cru ou participé à des pratiques auxquelles se livrent certaines femmes ? Elles prétendent avoir le pouvoir, par leurs charmes et maléfices, de changer les dispositions des êtres humains, changer leur haine en amour ou inversement et enlever leurs biens par des ligatures ? Si oui : un an de jeûne.

[10. *Chevauchée des sorcières ou de Holda*]

70. As-tu cru ce qu'affirment certaines femmes diaboliques ? Elles prétendent être contraintes et obligées, en compagnie de

démons transformés en femmes que par sottise les gens d'ici appellent la sorcière Holda — de chevaucher certaines nuits bien déterminées à dos de bêtes, et ainsi de s'agréger à la troupe des démons ? Si oui : un an de jeûne.

V. Manquements à la piété filiale

71. As-tu maudit père et mère, les as-tu battus, les as-tu déshonorés ? Si oui : 40 jours de jeûne et 7 ans de pénitence car le Seigneur a dit : Qui maudit son père ou sa mère mourra.

VI. Vol et incendie volontaire

72. As-tu volé des biens d'église ? Si oui : tu rendras le vol au quadruple et tu jeûneras durant 3 ans.

73. As-tu enlevé ou livré ou vendu quelqu'un comme esclave, excepté pour la paix commune ? Si oui : fais revenir cet homme ou bien jeûne pendant 2 ans.

74. As-tu incendié la maison ou la grange du voisin, par haine ? Si oui : répare le dommage causé et jeûne pendant un an.

VII. Prescriptions relatives au jeûne

75. As-tu rompu le jeûne en Carême, avant l'office de vêpres, sauf en cas de maladie ? Si oui : 3 jours de jeûne pour chaque jour de Carême non jeûné.

76. As-tu négligé les jeûnes officiels de l'Église et as-tu refusé de les tenir ? Si oui : 20 jours de jeûne.

77. As-tu rompu le jeûne des Quatre-Temps avant le terme ? Si oui : 40 jours de jeûne.

78. As-tu, au contraire, jeûné un dimanche par conviction religieuse ? Si oui : 20 jours de jeûne.

79. Pour une infraction au jeûne des Litanies majeures, du jour des Rogations et des vigiles : 20 jours de jeûne.

80. As-tu contraint un pénitent public à manger ou à boire au-delà de ce qui lui est permis ? A moins que tu n'aies racheté par un denier cette infraction, tu jeûneras durant 5 jours.

81. As-tu montré ton mépris à celui qui, ne pouvant pas jeûner, prenait de la nourriture alors que toi tu jeûnais ? Si oui : 5 jours de jeûne.

82. As-tu rompu le jeûne le Jeudi saint, le Samedi saint, en mangeant davantage ces deux jours que pendant le Carême, sauf au repas du soir ou pour cause de maladie ? Si oui : 10 jours de jeûne.

VIII. Ivrognerie

83. As-tu l'habitude de manger et de boire plus qu'il n'est nécessaire ? Si oui : 10 jours de jeûne, car il est dit dans l'Évangile : Veillez à ne pas alourdir votre esprit par la gloutonnerie et l'ivresse.

84. As-tu bu jusqu'à en vomir ? Si oui : 15 jours de jeûne.

85. T'es-tu enivré par sotte bravade, pour montrer que tu pouvais battre tes convives dans la beuverie ? Si oui : 30 jours de jeûne.

86. As-tu, pour avoir trop bu, vomi le Corps et le Sang du Seigneur ? Si oui : 40 jours de jeûne.

87. Si tu as enivré autrui par méchanceté, tu jeûneras 20 jours. Si tu l'as fait par amitié, tu jeûneras 10 jours.

IX. Prescriptions relatives à l'Eucharistie

88. As-tu omis de communier le Jeudi saint, le jour de Pâques, à la Pentecôte et à Noël ? As-tu eu des rapports conjugaux en Carême et durant 4 ou 5 jours avant les fêtes ci-dessus, avant de communier ? Si oui : 20 jours de jeûne.

89. As-tu délaissé la messe célébrée par un prêtre marié, as-tu méprisé sa prière et les offrandes requises ? as-tu refusé de te

confesser à un prêtre marié et de recevoir la communion de
sa main, sous prétexte que tu le tenais pour un pécheur ? Si oui :
un an de jeûne

X. *La chevauchée de Diane*

90. As-tu cru ou as-tu participé à une superstition à laquelle
des femmes scélérates, suppôts de Satan et trompées par des
phantasmes diaboliques prétendent se livrer ? La nuit, avec
Diane la déesse païenne, en compagnie d'une foule d'autres
femmes, elles chevauchent sur des animaux, parcourent de
grandes distances pendant le silence de la nuit profonde, obéis-
sent aux ordres de Diane comme à leur maîtresse et se mettent
à son service lors de nuits bien déterminées. Si seulement ces
sorcières pouvaient périr dans leur impiété sans entraîner dans
leur perte beaucoup d'autres ! En effet, de nombreuses personnes induites en erreur croient que ces chevauchées de Diane
existent vraiment et se séparent de la vraie foi, tombent dans
l'erreur des païens en croyant qu'il puisse exister une divinité
ou une déesse en dehors du seul Dieu. Le diable, il est vrai,
se transforme en toutes sortes de figures et apparences humaines
et, trompant dans les rêves l'âme qu'il tient captive, lui montre
tantôt des événements heureux, tantôt des malheurs, tantôt des
personnages inconnus. C'est ainsi que le diable conduit l'âme
dans des voies aberrantes. L'âme seule est engagée, mais l'esprit
humain croit que tous ces phantasmes sont réels et non imagi-
naires. Qui jamais — si ce n'est en rêve et dans les cauchemars
de la nuit — est conduit hors de soi et voit pendant son
sommeil ce que jamais il n'avait vu éveillé ? Qui peut être si
sot et si stupide pour imaginer que ces phantasmes, fruits de
l'imagination, se produisent corporellement ? Quand Ezéchiel
le prophète eut des apparitions du Seigneur, il déclare les avoir
vues et entendues, non en réalité, mais dans son imagination,
comme il le dit lui-même : « Subitement je fus enlevé par
l'esprit ». Et Paul n'a pas osé dire qu'il a été enlevé dans son
corps. Il faut donc déclarer publiquement que tous ceux qui
croient à ces fables perdent la foi. Celui qui n'a pas la vraie foi

en Dieu n'appartient pas à Dieu, mais à celui en qui il croit, c'est-à-dire au diable. De notre Seigneur il est écrit : « Tout a été fait par lui et sans lui rien n'a été fait. » Si tu as cru à ces sottises, tu jeûneras pendant 2 ans, aux jours fixés officiellement.

XI. Rites funéraires païens

91. As-tu pris part aux veillées funéraires, c'est-à-dire aux veillées auprès des défunts où l'on traitait les cadavres de chrétiens selon les rites païens ? Y as-tu chanté des incantations diaboliques ? Y as-tu exécuté des danses inventées par les païens, sur les instructions de Satan ? As-tu bu, fait des plaisanteries et, au mépris de la piété et de la charité, as-tu agi comme si tu te réjouissais de la mort de ton frère ? Si oui : 30 jours de jeûne, au pain et à l'eau.

XII. Amulettes et mixtures

92. As-tu confectionné des amulettes diaboliques ou des insignes comme le font certaines à l'instigation du démon ? As-tu fait des mixtures d'herbes ou d'ambre jaune ? As-tu célébré le jeudi en l'honneur de Jupiter ? Si oui : 40 jours de jeûne, au pain et à l'eau.

XIII. Complot contre l'évêque

93. As-tu participé à un complot contre ton évêque ou contre ses coopérateurs, en ce sens que tu as ridiculisé ou tourné en dérision l'enseignement ou les ordonnances de ton évêque ou de ton curé ? Si oui : 40 jours de jeûne, au pain et à l'eau.

XIV. Pratiques de sorcellerie

94. As-tu mangé des idolothytes, à savoir des offrandes faites en certains lieux près des tombes, près des sources, des arbres, des pierres ou aux bifurcations ? As-tu amoncelé des pierres ou as-tu placé des rubans de la coiffure auprès des croix érigées à la croisée des chemins ? Si oui : 30 jours de jeûne, au pain et à l'eau.

[1. *Rites apotropaïques*]

95. As-tu placé ton fils ou ta fille sur le faîte de la toiture ou sur la cheminée pour les guérir ? As-tu brûlé des grains à l'endroit où quelqu'un est mort ? As-tu fait des nœuds dans la ceinture d'un défunt pour causer du dommage à autrui ? As-tu jeté sur le cercueil les peignes dont les femmes se servent pour travailler la laine ? Quand on portait le défunt hors de la maison, as-tu séparé en deux le chariot et as-tu fait porter le mort entre les deux parties du véhicule ? Si oui : 40 jours de jeûne, au pain et à l'eau.

[2. *Superstitions funéraires*]

96. As-tu pris part à ces niaiseries auxquelles se livrent de sottes femmes : pendant que le défunt se trouve encore à la maison, elles courent vers la fontaine, apportent en silence un récipient d'eau et au moment où l'on soulève le cadavre, elles répandent l'eau sous le brancard. Elles veillent aussi, au moment où l'on porte le mort hors de chez lui, à ce qu'il ne soit pas soulevé plus haut que leurs genoux ; tout ceci pour obtenir une guérison. Si oui : 10 jours de jeûne, au pain et à l'eau.

97. As-tu fait, ou as-tu consenti à ce que font certaines femmes au moment d'enterrer un homme tué ? Elles lui mettent entre les mains un onguent, dans la pensée qu'il peut ainsi guérir de sa blessure ; sinon elles l'enterrent ensemble ? Si oui : 20 jours de jeûne, au pain et à l'eau.

[3. *Actes superstitieux*]

98. As-tu commencé un travail en prononçant des paroles ou en faisant des gestes magiques, ou en employant des sortilèges, au lieu d'invoquer le nom de Dieu ? Si oui : 10 jours de jeûne, au pain et à l'eau.

[4. *Travestis magiques*]

99. T'es-tu travesti, comme font les païens le jour du Nouvel An, en cerf ou en génisse ? Si oui : 30 jours de jeûne au pain et à l'eau.

XV. *Calomnie et malédiction*

100. As-tu calomnié ou maudit quelqu'un par envie ? Si oui : 7 jours de jeûne, au pain et à l'eau.

XVI. *Nouvelles superstitions*

[1. *Les grains dans le foyer*]

101. As-tu fait comme font beaucoup de gens : ils balayent l'endroit où ils allument le feu dans leur maison et jettent des grains sur l'emplacement encore chaud ; si les grains sautent en l'air, il y a danger ; si, au contraire, les grains ne bougent pas, tout ira bien ? Si oui : 10 jours de jeûne, au pain et à l'eau.

[2. *Les insectes sous la pierre*]

102. As-tu fait comme font certains quand ils rendent visite à un malade ? Quand ils approchent de la maison du malade, s'ils trouvent une pierre traînant par là, ils la retournent et

recherchent si en dessous il y a quelque animal vivant. S'ils trouvent un ver, un insecte, une fourmi ou toute autre bestiole, ils déclarent que le malade guérira. S'ils ne trouvent rien, ils disent qu'il va mourir. Si tu l'as fait ou si tu y as cru : 20 jours de jeûne, au pain et à l'eau.

[3. *Les lutins*]

103. As-tu confectionné des petits fanions avec des chiffons comme font les enfants, les as-tu jetés dans ton cellier ou dans ta grange pour que les faunes et les nains velus jouent avec ces objets, t'apportent les biens qu'ils volent aux voisins et qu'ainsi tu deviennes plus riche ? Si oui : 10 jours de jeûne, au pain et à l'eau.

[4. *Superstition du Nouvel An*]

104. As-tu fait comme certains aux Calendes de janvier (= Nouvel An), le jour octave de la Nativité ? Durant cette sainte nuit, ils filent, tissent, cousent, commencent toutes sortes de travaux — sous l'instigation du diable — à l'occasion de la nouvelle année ? Si oui : 40 jours de jeûne, au pain et à l'eau.

XVII. *Inceste*

105. As-tu dormi avec la sœur de ton épouse ? Si oui, il te sera interdit à l'avenir d'avoir des relations conjugales avec l'une ou l'autre. Si ton épouse n'a pas été au courant de ton crime, et si elle ne veut pas vivre dans la continence, qu'elle se marie en Dieu avec qui elle voudra. Quant à toi et à la sœur de ton épouse, ta complice, vous vivrez sans espoir de vous marier jamais ; durant toute votre existence, vous ferez pénitence, selon les prescriptions de votre curé.

106. Si en l'absence de ton épouse, à ton insu et au sien, la sœur de ta femme est entrée dans ton lit et que tu as cru que c'était ta propre femme et que tu as eu des relations intimes

avec elle, tu pourras, après la pénitence, continuer à vivre avec ta femme. Mais la sœur de ta femme sera punie et ne pourra jamais se marier.

107. As-tu forniqué avec deux sœurs, sans que l'une ait appris que l'autre a été souillée par toi et sans que tu aies su qu'il s'agissait de deux sœurs ? Si oui : 7 ans de pénitence ; ensuite tu es autorisé à te marier légitimement. Les deux sœurs, après une pénitence adaptée, si elles ne peuvent vivre dans la continence, sont autorisées à se marier. Mais si elles viennent à apprendre ce qui s'est passé, elles feront pénitence jusqu'à leur mort, et il leur sera interdit de se marier.

108. As-tu forniqué avec une femme que ton frère a prise ensuite pour épouse, toi étant au courant ? Si oui, et parce que tu as caché ton crime à ton frère, tu feras pénitence pendant 7 ans, en jeûnant aux temps fixés. Ensuite, toi et ton frère vous êtes autorisés à vous marier devant le Seigneur. Quant à la femme, elle fera pénitence jusqu'à la mort et vivra condamnée au célibat.

109. As-tu forniqué avec ta belle-fille ? Si oui, tu ne pourras plus avoir de relations intimes ni avec la mère ni avec la fille. Toi et ta belle-fille serez condamnés au célibat et vous ferez pénitence jusqu'à la mort. Ton épouse, si elle n'a plus eu avec toi des rapports conjugaux à partir du moment où elle a appris ce que tu as fait, est autorisée à se marier avec un autre homme, si elle le désire.

110. As-tu forniqué avec ta belle-mère ? Si oui, toi et elle ferez pénitence jusqu'à la mort et serez condamnés au célibat. Ton père, s'il le désire, peut épouser une autre femme.

111. As-tu forniqué avec la femme de ton frère ? (Si oui, même pénitence que pour le cas précédent.)

112. As-tu forniqué avec ta bru, avant que ton fils ne l'épouse ? Si oui, et que tu as caché ton crime à ton fils, tu feras pénitence jusqu'à ta mort et tu seras condamné au célibat. Mais ton fils, ignorant ton péché, peut épouser une autre, s'il le désire. La femme avec laquelle tu as péché fera pénitence et ne pourra plus jamais se marier.

113. As-tu commis l'inceste avec ta mère ? Si oui : 15 ans de jeûne, aux jours fixés, dont l'un au pain et à l'eau. Tu ne pourras jamais te marier et tu feras toujours pénitence.

Quant à ta mère, si elle n'a pas consenti à l'inceste, elle fera pénitence suivant l'avis du confesseur. Si elle ne veut pas vivre dans
la continence, elle pourra se marier.

114. As-tu forniqué avec ta marraine ? Si oui, tu seras
séparé d'elle ; tu jeûneras 40 jours — un carême — au pain et
à l'eau et tu feras pénitence durant 7 ans.

115. As-tu forniqué avec ta filleule de baptême ou de confirmation ? (Si oui, même pénitence qu'à l'article 114).

XVIII. Dol sacrilège

116. As-tu accepté d'être parrain de ton fils, de ta fille, de
ton beau-fils ou de ta belle-fille, soit au baptême, soit à la
confirmation, dans le but de créer un cas de divorce entre toi
et ton épouse (en raison de la parenté spirituelle) ? Si l'évêque
ne veut pas en statuer autrement, tu seras séparé de ta femme, tu
feras 40 jours de jeûne au pain et à l'eau, tu ne seras jamais sans
quelques œuvres de pénitence et tu vivras sans femme. Ton
épouse, si elle ne peut pas vivre dans la continence, pourra
épouser un autre homme.

XIX. Impuissance

117. Après ton mariage, tu as vécu avec ta femme un certain temps, quelques mois ou à la rigueur un an. Ensuite seulement tu as déclaré que tu étais impuissant et ne pouvais
avoir de relations charnelles, ni avec elle ni avec aucune
autre. Si ton épouse confirme ce que tu dis et s'il y a des preuves
que vous dites vrai, vous pourrez être séparés. Mais si, après
cette séparation, tu en épouses une autre, tu seras jugé comme
parjure et, après une pénitence appropriée, vous reprendrez le
premier mariage.

Si ta première femme, après un an ou six mois (de mariage),
s'adresse à son évêque ou à son délégué pour dire qu'aucune
union charnelle n'a eu lieu entre vous, et que toi tu affirmes
le contraire, c'est à toi qu'il faudra croire, car tu es le chef de

la femme. Car pourquoi s'est-elle tu si longtemps ? Très vite, une femme se rend compte si un homme peut avoir des rapports intimes avec elle. Si, au contraire, elle s'adresse immédiatement (après le mariage) à l'évêque ou à son délégué, après un mois ou après deux mois au maximum et dise : « Je veux être mère, je veux procréer et c'est pourquoi j'ai pris un mari ; mais mon époux est impuissant et ne peut s'acquitter de ses devoirs ». Si elle peut le prouver juridiquement, vous serez séparés et ton épouse prendra un autre mari, si elle veut.

XX. Divers délits sexuels

118. As-tu commis l'inceste avec ta sœur ? Si oui : 10 ans de jeûne aux jours fixés, dont l'un au pain et à l'eau ; tu feras pénitence toute ta vie, et tu seras condamné au célibat. Ta sœur, si elle n'a pas consenti, pourra se marier, une fois sa pénitence accomplie, si elle ne peut pas vivre dans la continence.

119. As-tu forniqué avec ta tante paternelle ou avec la femme de ton oncle ? (Si oui, même pénitence qu'à l'article 118, sauf que l'évêque pourra autoriser le coupable à se marier).

120. [Sodomie entre hommes].

121. [Sodomie incomplète entre hommes].

122. [Onanisme manuel réciproque].

123. [Onanisme manuel solitaire].

124. [Onanisme à l'aide d'objets ; BURCHARD : *in lignum perforatum*].

125. As-tu embrassé une femme impudiquement et t'es-tu pollué ainsi ? Si oui ; 3 jours de jeûne au pain et à l'eau. Si l'acte a eu lieu à l'église : 20 jours de jeûne au pain et à l'eau.

126. As-tu commis la sodomie ou la bestialité, avec des hommes ou des animaux, à savoir avec une jument, une vache, une ânesse ou avec tout autre animal ? Si tu l'as fait une ou deux fois, et que tu n'avais pas d'épouse pour assouvir ta lubricité, tu jeûneras 40 jours au pain et à l'eau — un carême — et tu feras toujours pénitence. Si tu étais marié, tu jeûneras 10 ans aux jours fixés. Si tu avais l'habitude de commettre ce crime, tu jeûneras 15 ans. Si tu as commis l'acte en question dans ta jeunesse, tu jeûneras 100 jours au pain et à l'eau.

Si un esclave marié a commis le crime de bestialité, il sera
roué de coups et jeûnera 4 ans aux jours fixés. Si l'esclave
coupable est célibataire, il sera roué de coups, mais ne jeûnera
que durant 2 ans. Mais si l'esclave coupable ne veut pas accepter
d'être battu et qu'il est par ailleurs une personne distinguée, il
fera pénitence comme l'homme libre.

XXI. Interdits alimentaires

127. As-tu mangé, pour obtenir la guérison, les excoriations de
ta peau (la gale), as-tu absorbé dans un liquide ces petites bêtes
appelées des poux, as-tu bu l'urine humaine ou as-tu mangé des
excréments — tout cela pour guérir ? Si oui : 20 jours de jeûne
au pain et à l'eau.
128. As-tu mangé des charognes, à savoir des bêtes déchirées
par les loups ou les chiens et trouvées mortes ? Si oui : 10 jours
de jeûne au pain et à l'eau.
129. As-tu mangé des oiseaux qu'un rapace avait tués, sans
auparavant les égorger avec ton couteau ? Si oui : 5 jours de
jeûne au pain et à l'eau.
130. As-tu mangé des oiseaux ou des bêtes étranglées dans
des filets et trouvées mortes ? Si oui, et en dehors d'une famine :
10 jours de jeûne au pain et à l'eau.
131. As-tu mangé des poissons trouvés morts dans l'eau, à
moins qu'ils n'aient été pris et tués par un pêcheur et trouvés
le jour même ? Si oui : 3 jours de jeûne au pain et à l'eau.

XXII. Escroquerie sur les poids et les mesures

132. As-tu falsifié poids et mesures pour vendre à d'autres
chrétiens des marchandises à l'aide d'un boisseau ou d'un poids
truqués ? Si oui : 20 jours de jeûne au pain et à l'eau.

XXIII. *Prescriptions sexuelles*

133. (Touchers impudiques sur une femme; BURCHARD : *mamillae et verenda*).

134. T'es-tu baigné nu avec ton épouse et d'autres femmes et les as-tu vues nues ? Si oui : 3 jours de jeûne, au pain et à l'eau.

XXIV. *Manquements à l'hospitalité*

135. Lorsque des hôtes dans le besoin sont venus chez toi et que tu ne les as pas reçus dans ta maison, que tu ne leur as pas fait la charité, comme le prescrit le Seigneur, tu feras 5 jours de jeûne au pain et à l'eau.

XXV. *Atteintes aux biens d'église*

136. As-tu incendié une église ou as-tu été complice ? Si oui, tu reconstruiras l'église, tu distribueras aux pauvres le wergeld correspondant à ton état et tu jeûneras pendant 15 ans aux jours fixés.

137. As-tu confisqué à ton profit les legs faits en faveur des défunts, en ce sens que tu as refusé de les transmettre aux églises ? Si oui : 1 an de jeûne aux jours fixés.

XXVI. *Manquements à la résidence festale*

138. As-tu passé les fêtes de Pâques, de Pentecôte et de Nouvel An ailleurs que dans la ville dont tu dépends, hors le cas de maladie ? Si oui : 10 jours de jeûne au pain et à l'eau.

XXVII. *Fréquentation des excommuniés*

139. As-tu fréquenté un excommunié, en le sachant ? As-tu
prié en sa compagnie à l'église ou ailleurs ? L'as-tu salué en lui
disant : « Bonjour » ? L'as-tu reçu dans ta maison, lui as-tu
rendu quelque service, ouvertement ou en cachette — à moins
qu'il ait voulu voyager avec toi pour expier et qu'alors tu aies
passé avec lui une ou deux nuits ou la durée du pèlerinage et
que lui se soit tenu à l'écart des autres et que dans ces conditions
seulement tu lui aies procuré le vivre ? Dans le cas contraire :
tu seras excommunié, toi aussi, et tu jeûneras au pain et à l'eau
40 jours — un carême — et ensuite durant 7 ans.

XXVIII. *Atteintes aux biens d'église*

140. As-tu détourné ou retenu une partie des offrandes faites
à Dieu, telles que esclaves, terres, forêts, vignes, outils, vêtements
et autres dons faits aux églises ou au Christ, leur époux, soit
directement soit par testament ? Si oui : 40 jours de jeûne au
pain et à l'eau.
141. As-tu omis de donner à Dieu la dîme comme lui-même
l'a ordonné, la dîme de toutes tes récoltes et de ton cheptel ?
As-tu donné à Dieu le plus malingre de tous tes animaux, au lieu
du dixième que tu devais à Dieu ? Si oui : tu rendras au
quadruple à Dieu ce qui lui appartient et tu jeûneras 20 jours
au pain et à l'eau.
142. As-tu opprimé les pauvres qui ne pouvaient se défen-
dre ? Leur as-tu enlevé leurs biens ? Si oui : tu rendras les biens
et tu jeûneras 30 jours au pain et à l'eau.

XXIX. *Manquements à l'Eucharistie et à la messe*

143. Es-tu allé, comme hélas c'est la coutume, après un repas,
à la messe pour y recevoir le baiser de la paix (*signum pacis*)

du prêtre officiant, gavé de nourriture et ivre ? Si oui : 3 jours de jeûne au pain et à l'eau.

144. As-tu reçu le Corps et le Sang du Christ après avoir pris de la nourriture, si minime soit-elle ? Si oui et si cela est arrivé durant ta jeunesse — en dehors du viatique — tu jeûneras 10 jours au pain et à l'eau.

145. As-tu fait comme certains : en arrivant à l'église, ils remuent leurs lèvres comme s'ils priaient — à l'intention de ceux qui les entourent — et, vite, ils reviennent à leurs bavardages et à leurs futilités. Quand le prêtre les salue (au *Dominus vobiscum*) et les exhorte à prier, ils continuent leurs propos oiseux sans lui répondre et sans prier ? Si oui : 10 jours de jeûne au pain et à l'eau.

XXX. Cas de fausse pitié

146. As-tu couvert les péchés de ton frère alors que celui-ci était en danger de mort, au lieu de le reprendre et de l'exhorter à se convertir — sans venir au secours de ton frère accablé par le fardeau (de ses péchés) ? Si oui : tu jeûneras aussi longtemps que ton silence a duré.

147. As-tu pris la défense des coupables, par pitié ou par amitié, et ainsi as-tu été impitoyable pour les innocents ? Si oui : 30 jours de jeûne au pain et à l'eau.

XXXI. Désinvolture sacrilège

148. As-tu fait dire une messe pour toi et offrir le sacrifice, alors que toi tu es resté tranquillement à la maison, ou ailleurs — sauf à l'église ? Si oui : 10 jours de jeûne au pain et à l'eau.

XXXII. *Nouvelles superstitions*

[1. *Le souricier*]

149. As-tu ajouté foi à la superstitition suivante : les voya-
geurs voyant passer de gauche à droite une corneille craillante
espèrent faire un bon voyage, et préoccupés d'arriver à bon port
ils prennent confiance quand l'oiseau appelé souricier — parce
qu'il prend des souris et les mange — traverse leur chemin ?
Si oui : 5 jours de jeûne au pain et à l'eau.

[2. *Le chant du coq*]

150. As-tu ajouté foi à la superstition suivante : certaines
personnes obligées de sortir avant le jour n'osent le faire,
croyant que c'est de mauvais augure. Selon ces personnes, il
n'est pas permis de sortir avant le chant du coq car, disent-
elles, les esprits impurs ont plus de force pour nuire avant que
le coq ait chanté. Le coq par son chant serait donc plus capable
de réprimer et d'apaiser ces esprits que l'esprit divin qui habite
en l'homme par la foi et par le signe de la croix. Si oui : 10 jours
de jeûne au pain et à l'eau.

[3. *Les Parques et le loup-garou*]

151. As-tu ajouté foi, comme beaucoup d'autres, à l'existence
et à la puissance des Parques ? Quand un enfant naît, les Parques seraient capables d'en faire ce qu'elles veulent, faire en
sorte que l'enfant en question, devenu grand, puisse se transformer en loup-garou ou en toute autre apparence ? Si tu as
cru possible qu'un homme créé à l'image de Dieu puisse être
transmué dans une autre forme par tout autre que le Dieu tout
puissant, tu feras 10 jours de jeûne au pain et à l'eau.

[4. *Les sylphes*]

152. As-tu ajouté foi à la croyance suivante : il existerait
des femmes habitant les champs, dites sylphes, ayant un corps
matériel. Ces sylphes, quand elles le désirent, se montrent à
leurs amants et prennent leur plaisir avec eux, et quand elles
le désirent se cachent et disparaissent ? Si oui : 10 jours de jeûne
au pain et à l'eau.

[5. *Les Parques*]

153. As-tu agis comme certaines femmes à certaines époques
de l'année : quand elles préparent la table, les aliments et la
boisson, elles placent trois couteaux sur la table pour que les
trois sœurs que les anciens dans leur sottise ont appelé les
Parques puissent se restaurer. Ces femmes dénient la puissance
à la bonté divine et l'attribuent au diable ! As-tu cru que ces
trois sœurs, comme tu dis, pouvaient t'être de quelque secours
maintenant ou plus tard ? Si oui : 1 an de jeûne au pain et à
l'eau, aux jours officiels.

XXXIII. *Délits sexuels*

154. (Tribadie à l'aide d'objets ; BURCHARD : *cum aliis mulier-
culis... instrumento*).
155. (Onanisme de la femme à l'aide d'objets ; BURCHARD :
molimine vel alio machinamento).
156. (Lesbianisme ; BURCHARD : *coniungunt in invicem puer-
peria et sic confricando*, etc.).
157. (Onanisme de la mère avec son enfant ; BURCHARD : *fi-
lium tuum super turpitudinem tuam ponere*).
158. (Bestialité de la femme ; BURCHARD : *succumbere aliquo
iumento... ut sic coïres*).

XXXIV. *Avortements et infanticides*

159. As-tu fait comme beaucoup de femmes : elles forniquent et, pour tuer leur enfant, elles se font avorter avec des maléfices et des herbes, ou bien elles prennent leurs précautions pour ne pas concevoir ? (Pénitence semblable à celle imposée aux assassins, en distinguant entre la femme qui a agi par pauvreté et celle qui a agi par vice) .

160. Ceux qui s'appliquent à tuer les enfants, conçus ou nés de relations coupables, et qui provoquent des avortements en donnant des potions — qu'il s'agisse du père ou de la mère adultère — seront reçus à la communion après 7 ans de pénitence seulement.

161. As-tu appris comment faire les avortements ou as-tu donné la recette à d'autres ? Si oui : 7 ans de jeûne aux jours fixés.

162. As-tu provoqué un avortement *avant* l'animation du fœtus ? As-tu provoqué l'avortement *après* l'animation ? Si tu l'as fait avant l'animation : 1 an de jeûne ; si après l'animation : 3 ans de jeûne, aux jours fixés.

163. As-tu tué volontairement ton fils ou ta fille, après la naissance ? Si oui : 12 ans de jeûne, aux jours fixés, et pénitence continue jusqu'à la fin de ta vie.

164. As-tu omis de donner les soins requis à ton enfant, de sorte que, par ta faute, il soit mort sans baptême ? (Si oui, même pénitence qu'à l'article 163).

XXXV. *Empoisonnement*

165. As-tu confectionné une potion mortelle pour empoisonner autrui ? (Pénitence plus ou moins sévère, suivant que le crime a réussi ou non).

XXXVI. Philtre d'amour

166. As-tu bu le sperme de ton mari, afin qu'il t'aime davantage grâce à tes agissements diaboliques ? Si oui : 7 ans de pénitence au pain et à l'eau, aux jours fixés.

XXXVII. Ordalies falsifiées

167. As-tu bu du Saint-Chrême afin de fausser les ordalies ? As-tu pris en bouche ou cousu dans tes vêtements ou lié autour de ton corps, ou autrement, des herbes, du bois ou des pierres dans le sot espoir de fausser le jugement de Dieu ? As-tu donné, à ce propos, des recettes à autrui ? (Même pénitence qu'à l'article 166).

XXXVIII. Envoûtements d'animaux

168. As-tu agi comme font certaines femmes : si une voisine possède en abondance du lait et des abeilles, elles espèrent, par des sortilèges et des incantations, attirer à elles et sur leur propre cheptel toute cette abondance ? Si oui : 3 ans de jeûne.

169. As-tu cru que certaines femmes avaient le pouvoir, quand elles pénétraient dans une maison, d'envoûter et de tuer les poussins des oies, des paons, des poules et même les pourceaux et les petits des autres animaux ? Si oui : 1 an de jeûne.

XXXIX. Chevauchées nocturnes

170. As-tu partagé la croyance de nombreuses femmes, de la suite de Satan ? Que pendant le silence de la nuit, après t'être étendue dans ton lit et pendant que ton mari repose sur ton sein,

tu as le pouvoir, toute corporelle que tu es, de sortir par la
porte fermée, de parcourir l'espace avec d'autres femmes qui te
ressemblent ? Que tu as le pouvoir de tuer, avec des armes
invisibles, des chrétiens baptisés et rachetés par le Sang du Christ,
de manger leur chair après l'avoir fait cuire, et de mettre à la
place de leur cœur de la paille ou un morceau de bois ou tout
autre objet ? Que tu as le pouvoir, après les avoir mangés, de les
ressusciter et de leur accorder un délai pour vivre ? Si oui :
40 jours de jeûne et une pénitence durant 7 ans.

171. As-tu partagé la croyance de certaines femmes : que
dans le silence de la nuit, portes fermées, avec d'autres disciples
du diable, tu es capable de monter en l'air jusqu'aux nuages ?
Que, dans le ciel, tu combats avec d'autres et que tu donnes et
reçois des coups ? Si oui : 3 ans de jeûne.

XL. Philtres et potions d'amour

172. As-tu agi comme font les femmes : elles prennent un
poisson vivant, l'introduisent dans leur sexe, l'y maintiennent
jusqu'à ce qu'il soit mort, et, après l'avoir cuit ou grillé, elles
le donnent à manger à leur mari pour qu'il s'enflamme davantage pour elles ? Si oui : 2 ans de jeûne.

173. As-tu agi comme font les femmes : elles s'agenouillent,
face contre terre, dénudent leurs flancs et font préparer un pain
sur leur dos nu ; après avoir cuit ce pain, elles le donnent à
manger à leur mari pour qu'il s'enflamme davantage ? Si oui :
2 ans de jeûne.

XLI. Infanticide par imprudence

174. As-tu placé ton enfant près d'une cheminée, et une autre
personne est venue renverser sur le feu un chaudron d'eau
bouillante, de sorte que l'enfant, échaudé, est mort ? Toi qui
devais veiller soigneusement durant 7 ans sur ton enfant, tu
jeûneras pendant 3 ans, aux jours officiels. Celle qui a renversé
le chaudron d'eau est innocente.

XLII. Sortilège des empreintes

175. As-tu fait comme les femmes instruites dans les sciences diaboliques : elles épient les pas et les traces laissées par les chrétiens, recueillent de la terre sur laquelle ils ont marché, l'examinent et espèrent enlever la vie et la santé aux passants ? Si oui : 5 ans de jeûne.

XLIII. Philtres et potions d'amour

176. As-tu fait comme font les femmes : elles prennent le sang de leurs règles, le mélangent à la nourriture ou à la boisson, le donnent à leur mari pour que celui-ci s'enflamme davantage pour elles ? Si oui : 5 ans de jeûne.

177. As-tu agi comme les femmes ont coutume de le faire : elles prennent les glandes génitales des hommes, les brûlent et font absorber les cendres à leur mari pour le guérir ? Si oui : 1 an de jeûne.

XLIV. Prescription alimentaire

178. As-tu mangé ou bu le sang d'un animal ? Si oui : 5 jours de jeûne.

XLV. Sortilège contre les vagissements

179. As-tu fait comme les femmes : elles prennent leurs enfants qui crient, les font passer à travers un canal creusé dans la terre pour faire cesser les vagissements ? Si oui : 5 jours de jeûne.

XLVI. Le nouveau-né empalé

180. As-tu fait comme ont coutume de faire les femmes, sous l'instigation du démon : quand un enfant est mort sans baptême, elles prennent le petit cadavre et le cachent en un lieu secret. Elles transpercent d'un pal le corps de l'enfant et disent que si elles ne le faisaient pas, l'enfant reviendrait et pourrait gravement nuire à autrui ? Si oui : 2 ans de jeûne.

XLVII. L'accouchée empalée

181. As-tu fait comme font les femmes remplies d'audace diabolique ? Quand une parturiente ne peut pas enfanter et qu'elle meure dans les couches, elles transpercent la mère et l'enfant d'un pal et les clouent en terre, dans une même tombe. Si oui : 2 ans de jeûne.

XLVIII. Infanticide involontaire

182. As-tu étouffé ton enfant, sans le vouloir ? L'as-tu écrasé sous le poids de tes vêtements, après le baptême ? (Jeûnes divers, suivant les circonstances de l'accident.)

183. As-tu trouvé ton enfant étouffé dans ton lit, quand toi et ton mari étiez couchés ensemble, sans que l'on sache qui l'a étouffé, toi ou son père, ou si l'enfant est mort de mort naturelle ? Vous ne devez pas être rassurés pour autant et vivre sans faire pénitence ! Mais vous avez droit à l'indulgence, car il n'y a pas eu d'intention criminelle, mais accident. Cependant à cause de votre négligence, vous ferez pénitence au pain et à l'eau pendant 40 jours. Si, par contre, il est sûr que vous êtes la cause de la mort, cause involontaire, mais par votre négligence, vous ferez 3 ans de jeûne au pain et à l'eau, aux jours fixés.

XLIX. Prostitution

184. As-tu fait l'entremetteuse pour toi ou pour les autres ?
Je veux dire : as-tu abandonné, à la manière des prostituées,
ton corps aux caresses de tes amants, pour de l'argent ? Ou
bien, ce qui est pire et plus infâme encore, as-tu vendu à ses
amants le corps de ta fille, de ta nièce ou de toute autre chrétienne ? T'es-tu faite la conseillère ou l'intermédiaire pour
que des relations galantes puissent s'établir ? Si oui : 6 ans de
jeûne.

L. Magie funéraire

185. As-tu agi comme certaines femmes : quand un nouveau-
né, ayant reçu le baptême, meurt immédiatement après, au
moment de l'enterrer, elles placent dans la main droite de
l'enfant une patène de cire avec une hostie, dans la main gauche un calice de cire avec du vin ? Si oui : 10 jours de jeûne.

LI. Sortilèges d'amour

186. As-tu fait comme les femmes adultères : dès qu'elles
sentent que leurs amants ont l'intention de les quitter pour prendre une épouse légitime, elles éteignent par des maléfices la passion amoureuse de ces hommes pour qu'ils restent impuissants
avec leurs femmes et ne servent à rien. Si oui : 40 jours de jeûne.

LII. Manquements divers

187. As-tu fait baptiser ton enfant, sauf le cas de maladie,
en dehors du Samedi saint et du samedi avant Pentecôte ?
Si oui : 10 jours de jeûne.

188. As-tu négligé de visiter les malades et les prisonniers ? Les as-tu laissés sans secours ? Si oui : 40 jours de jeûne.

189. As-tu mangé de la viande en Carême ? Si oui, tu t'abstiendras de viande pendant cette année.

190. As-tu mangé la nourriture que les Juifs ou les païens préparent à leur intention ? Si oui : 10 jours de jeûne.

LIII. Désinvolture impie

191. As-tu fait comme font les femmes : en se rendant à l'église, elles bavardent, tiennent des propos oiseux, sans penser à rien de sérieux pour leur âme. Quand elles franchissent l'atrium où sont inhumés les corps des fidèles, elles marchent sur leurs sépultures, sans songer à l'au-delà et sans faire de prière pour le repos de leur âme. Si tu agis ainsi, tu feras 10 jours de jeûne au pain et à l'eau et tu éviteras de recommencer. Chaque fois que tu pénètres dans l'atrium de l'église, prie pour les défunts et prie les saintes âmes dont les corps reposent là, afin qu'elles intercèdent pour tes péchés auprès de Dieu.

192. As-tu travaillé le dimanche ? Si oui : 3 jours de jeûne.

LIV. Sortilège d'amour

193. As-tu fait comme certaines femmes : elles se déshabillent, enduisent de miel leur corps nu et se roulent ainsi sur du blé répandu sur un linge, de-ci, de-là ; elles recueillent ensuite soigneusement tous les grains restés collés à leur corps ; elles mettent ces grains dans un moulin et font marcher la meule contre le soleil ; de la farine ainsi obtenue elles cuisent un pain qu'elles donnent à manger à leur mari pour qu'il devienne malade et impuissant. Si oui : 40 jours de jeûne.

LV. La fillette à la jusquiame

194. As-tu fait comme font les femmes : dans les périodes de sécheresse où la pluie fait défaut, elles rassemblent plusieurs

jeunes filles et leur donnent comme guide une fillette encore vierge. Elles déshabillent la fillette et la conduisent en dehors de la ville, dans un pré ou pousse la jusquiame — *belisa* en allemand. Elles font arracher cette herbe avec sa racine par la fillette nue, avec le petit doigt de sa main droite et lient la jusquiame avec un ruban au petit orteil de son pied droit. Les jeunes filles, tenant chacune un rameau dans la main, font entrer dans la rivière proche la fillette nue, traînant derrière elle la jusquiame. Elles l'aspergent avec leurs rameaux et ainsi par leur envoûtement espèrent faire tomber la pluie. Ensuite elles reconduisent de la rivière vers la ville, en la tenant par la main, la fillette nue qui marche à reculons comme les écrevisses. Si tu as fait ainsi ou si tu as été complice, tu jeûneras au pain et à l'eau durant 20 jours.

6. *LES DITS DE SAINT PIRMIN (VIIIe SIÈCLE)*

(Éd. PL 89, 1036-1050 ; U. ENGELMANN, *Der hl. Pirmin und sein Missionsbüchlein*, Constance, 1959 ; C. JECKER, *Die Heimat des hl. Pirmins*, Münster en Westphalie, 1927, pp. 34-73)

Les Dits de saint Pirmin († 753), parvenus jusqu'à nous sous le titre de **Scarapsus** (= **Excarpsus**) **de singulis libris canonicis**, ne constituent pas un pénitentiel proprement dit, mais plutôt une sorte de livret de catéchisme de morale, très simple, à l'usage des missionnaires et des prêtres de paroisses.

Saint Pirmin appartient à la génération des missionnaires continentaux qui, après Colomban et ses disciples, ont œuvré à la conversion — ou à la reconversion — de la chrétienté occidentale. Originaire d'Aquitaine (ou d'Espagne), saint Pirmin passa dans l'ancienne Neustrie et de là dans la vallée rhénane. Plusieurs monastères perpétuent son souvenir, tel le monastère de Reichenau et celui de Murbach. Il tenta de rendre ses fondations monastiques indépendantes de l'ordinaire du lieu et des patrons laïques.

I. Les huit vices principaux

Les huit principaux vices qui noient les hommes dans la mort et la perdition sont : la cupidité, la gourmandise, la fornication, la colère, la tristesse, le dégoût, la vaine gloire, l'orgueil. De ces huit vices principaux découlent des maux et des péchés en grand nombre, qu'il serait trop long d'énumérer. Cependant, avec la grâce du Christ, nous vous dirons quelques mots à ce sujet. Très chers, nous faisons appel à votre piété ; écoutez en vous-même ce que le Christ, à propos de ces vices, a dit par lui-même dans l'Écriture ; n'y succombez jamais ou, si vous y avez succombé, apprenez comment vous en corriger.

De la cupidité il est dit qu'il ne faut pas désirer les biens du prochain. Ne forniquez pas. Toute pollution est une fornication. Que personne ne nourrisse de haine contre son prochain. Ne soyez pas tristes à cause des biens de ce monde qui passe. Ne soyez pas paresseux. (Tous ces articles sont suivis de textes scripturaires.) Méprisez la vaine gloire. Tout ce que nous faisons pour nous mettre en valeur ou pour être loué des hommes est vaine gloire... Fuyez l'orgueil... Ne commettez pas d'homicide... Ne commettez pas d'adultère... Que personne ne se permette de rompre un lien conjugal légitime, si ce n'est du consentement des deux parties et pour l'amour du Christ... Là où il y a adultère ou suspicion d'adultère, la femme sera renvoyée, sans plus. Mais si l'épouse est stérile, déformée, vieille, si elle est sale, ivrogne, de mauvaise compagnie, lascive, vaniteuse, gourmande, inconstante, querelleuse, si elle a l'injure facile, l'époux gardera avec lui une femme de cette sorte, bon gré mal gré et quelle qu'elle soit, car pendant que tu étais libre, tu t'es engagée volontairement. Que personne ne se souille par l'inceste... Il est écrit que la parenté s'étend jusqu'au sixième degré de la consanguinité, car le monde a été créé en six étapes ; il en va de même de la parenté. Que l'époux ne cohabite pas charnellement avec son épouse au moment des règles... Personne n'acceptera des intérêts... Personne ne se servira des poids et des mesures falsifiées... Ne réduisez pas en captivité autrui... Que personne ne commette de vol et n'enlève par ruse le bien d'autrui.

Ne jugez pas injustement, ni par amour pour vos parents, ni par amour pour vos amis ou pour une affection quelconque. Ni pour des cadeaux ou par haine... Ne causez de dommage à personne et ne rendez pas le mal pour le mal... N'accablez ni l'étranger, ni la veuve, ni l'orphelin ni le pauvre. Ne commettez pas de parjure... Ne faites pas de faux témoignages... Qui fait un parjure est du côté de ceux qui ont crucifié le Christ. Ne blasphémez pas. Ne mentez pas. Ne tenez pas de propos déshonnêtes, car une seule parole a vite fait de souiller l'âme... Ne bavardez pas... N'éclatez pas de rire à tout propos.

Ne calomniez pas votre prochain... N'ayez pas de haine ; par haine, le Christ a été crucifié. Ne haïssez pas l'homme, mais les vices et les péchés. La haine exclut le pécheur du royaume de Dieu. Ne causez ni dispute ni scandale. Fuyez l'inimitié, les compétitions, les jalousies, les disputes, les désaccords, les sectes.

II. Prescriptions alimentaires

Ne mangez pas d'animaux crevés, ou les animaux et les abeilles que d'autres bêtes ou des chiens ou des oiseaux de proie ont entamés. Ne buvez pas le sang. Personne ne poussera un autre à boire immodérément. Les hommes s'enivrent non seulement en buvant du vin, mais de toutes autres sortes de breuvages, diversement concoctés. Aux nazaréens il fut défendu de boire du vin et toute boisson enivrante — tous ces breuvages emèchent les hommes et engendrent la luxure.

III. Potions abortives

La femme ne prendra pas de boissons abortives et ne tuera pas son enfant après la conception ou après la naissance. Elle n'absorbera pas de potion anticonceptionnelle. La femme qui le fait se rend responsable d'autant d'adultères (qu'elle aura empêché d'enfants de naître).

IV. Idolâtrie

N'adorez pas les idoles, les pierres, les arbres, les lieux retirés, les sources ou les croisées des chemins. Ne vous en remettez pas aux enchanteurs, aux sorciers, aux magiciens, aux aruspices, aux devins, aux mages, aux jeteurs de sorts. Ne croyez pas à la signification magique des éternuements, ni aux superstitions relatives à l'oreille, ni aux maléfices diaboliques. Qu'est-ce donc, sinon un culte démoniaque que de célébrer les Vulcanales et les calendes, de tresser des lauriers, d'être attentifs aux positions du pied, d'étendre la main sur des troncs d'arbres, de jeter du vin et du pain dans les sources. C'est un culte démoniaque quand les femmes, en tissant, invoquent Minerve, ou quand on attend le vendredi ou tel jour précis pour célébrer les noces, ou tel jour pour partir en voyage.

V. Superstitions

N'accrochez pas de bouquets d'herbes magiques sous vos vêtements ou sous les habits de vos familiers. N'ajoutez pas foi aux faiseurs de temps et ne leur donnez rien. Ne croyez pas aux sorciers qui font monter les gens sur le faîte des maisons pour leur prédire l'avenir, bon ou mauvais — il appartient à Dieu seul de connaître le futur. Ne faites pas s'envoler des cerfs-volants ou de petits chars en temps de Carême. Vous, hommes, n'endossez pas des vêtements de femme, ni vous, les femmes, des habits d'hommes, à l'occasion des calendes ou de certaines fêtes. N'accrochez pas aux croisements des chemins ou aux arbres des reproductions en bois des membres humains ; ces pratiques sont inefficaces pour vous rendre la santé. Ne vous répandez pas en hurlements quand il y a éclipse de lune. Ne croyez pas non plus que le fenouil soit une herbe diabolique et ne vous le mettez pas sur la tête.

Aucun chrétien ne chantera des chansons à l'église, à la maison, à la croisée des chemins ; il n'y fera ni sauterie, ni jeux, ni attrapes diaboliques. Ne chantez pas des refrains grivois

ou des chansons d'amour. N'accordez nul crédit aux phylac-
tères ou engins de ce genre, ne les adorez ni ne les honorez...
Ne faites pas attention à vos rêves, car ils ne préfigurent que
choses mensongères : adorez le Dieu unique en la sainte Trinité.
Portez à l'église vos dons, les cierges, l'huile, l'encens, les pré-
mices, les dîmes et les aumônes. Célébrez les jours de fête et les
dimanches, ainsi que les anniversaires des martyrs et des confesseurs. Assistez aux vigiles et à la messe et recevez la sainte
communion. Que personne ne bavarde à l'église quand on y lit
l'Écriture ; écoutez les leçons.

VI. Repos dominical

Honorez les dimanches ; n'y faites aucun travail servile, ni
dans vos champs, ni dans vos prés, ni dans vos vignes, s'il s'agit
de travaux pénibles. N'engagez pas de procès le jour du Seigneur. A la cuisine, préparez seulement ce qui est nécessaire pour
vous nourrir, car le dimanche a été créé le premier, les ténèbres
y furent chassées, la lumière fut. Les éléments furent créés ce
jour-là, de même que les anges. Ne gardez pas les dîmes de vos
récoltes.

VII. Préparation à la communion eucharistique

Nul ne s'approchera, s'il a commis des péchés graves, du Corps
et du Sang du Seigneur avant de s'être confessé et d'avoir
accompli la pénitence suivant la taxation du prêtre, selon les
règles de l'Église. Mais aucun chrétien ne s'abstiendra pendant
longtemps de la communion. C'est pourquoi, je vous en conjure,
vous les chrétiens : si après le baptême vous avez commis une
faute mortelle, confessez-vous-en sincèrement au prêtre, faites
pénitence ; une fois la pénitence accomplie, aussi longtemps
que votre confesseur vous l'aura fixé, venez apporter votre
offrande au prêtre et communiez au Corps et au Sang du Christ.

Prenons à cœur le dicton : les maux sont guéris par les vertus contraires ! Que chacun fasse, comme nous l'avons déjà dit, une confession intègre au prêtre et fasse une pénitence véritable. Le mal accompli, qu'il le déplore et s'en corrige par des sacrifices, des aumônes et des bonnes œuvres et qu'il se garde de pécher à l'avenir.

II
LES LISTES
DE COMMUTATIONS
PÉNITENTIELLES

1. TRAITÉ DES ÉQUIVALENCES
PÉNITENTIELLES (VIᵉ SIÈCLE)

2. PÉNITENTIEL DE CUMMÉAN
(VIIᵉ SIÈCLE)

3. PÉNITENTIEL DU PSEUDO-THÉODORE
(VIIIᵉ SIÈCLE)

4. PÉNITENTIEL DE BÈDE (VIIIᵉ SIÈCLE)

5. LES CANONS DU PSEUDO-EDGARD
(Xᵉ SIÈCLE)

Les listes de commutations sont aussi anciennes que les tarifs pénitentiels eux-mêmes. Les taxes prévues pour les péchés, en s'additionnant, atteignent facilement un nombre d'années de jeûne considérables que le pécheur était incapable d'accomplir. Il fallait donc lui permettre de « racheter » son jeûne. C'est le but même de nos listes.

Le nombre et la variété des pénitentiels contenant, soit dans le corps du texte, soit comme introduction ou en guise d'appendice, les tarifs de commutations sont la preuve évidente que le rachat du jeûne pénitentiel était connu et pratiqué partout où la pénitence tarifée était en usage, et ceci depuis les origines (VIᵉ siècle) jusqu'au déclin de la pénitence insulaire sur le continent (XIIᵉ siècle). C'est dire que le principe de la commutation en discipline pénitentielle ne représente nullement une dégradation du système ni une innovation tardive. Les commutations constituent le correctif indispensable à l'administration de la pénitence tarifée, dont les taxes, nous l'avons dit, étaient trop rigoureuses et trop longues pour convenir dans la vie pratique. Les rédemptions ont donné lieu à des abus, la chose est certaine, abus auxquels entendent remédier les conciles. Le **principe** même du « rachat » pénitentiel ne paraît pas avoir été mis en discussion.

On aimerait pouvoir établir la filiation de nos listes de commutations et en faire l'histoire littéraire. La tâche est malaisée, sinon impossible, à partir des éditions dont nous disposons actuellement. Il est inutile de préciser que le patronage sous lequel certains tarifs se présentent ne visent qu'à leur conférer un supplément d'autorité (selon Théodore ; selon saint Patrice ; tarifs de saint Boniface, etc.). Comme la plupart des livres pénitentiels, les listes de rachats sont anonymes.

Deux classes, semble-t-il, peuvent être isolées : le groupe irlandais-gallois et le groupe anglo-saxon et continental qui, l'un et l'autre, ont des caractéristiques propres.

1) Les commutations irlandaises et galloises nous sont connues principalement par le célèbre traité « Sur les équivalences » **(De arreis)**, inséré au livre second des « Canons d'Irlande »

(**Canones Hibernenses**). Nous le reproduisons ci-dessous. Le rachat pénitentiel qui y est proposé se signale par une dureté extrême et l'étrangeté de certaines œuvres conseillées comme équivalentes du jeûne. Un traité irlandais du VIIIe siècle, le non moins célèbre **Na arrada so sis colleic** en trente-trois canons, est moins sévère.

2) Les commutations anglo-saxonnes, continentales et cumméaniennes dont nous traduisons quelques tarifs (annexés aux pénitentiels de Cumméan, du pseudo-Théodore, de Bède et du pseudo-Edgar) proposent comme équivalences, non plus seulement des œuvres de mortifications, mais des succédanés sous forme d'amendes, de substitution vicaire, de messes à dire, entre autres.

Un fait demeure, quoi qu'il en soit des problèmes purement littéraires soulevés par les listes d'équivalences pénitentielles : partout où s'est implanté le système tarifé, les commutations ont été en usage.

Quant au fond, nos « rédemptions » sont de deux sortes. Celles d'abord où le jeûne est remplacé par des prières, des génuflexions ou autres œuvres de mortification plus ou moins sévères ; dans ce cas, il existe toujours un lien direct entre l'œuvre expiatoire et le pécheur qui purge sa faute, car c'est toujours d'une mortification personnelle qu'il s'agit. Ce lien n'existe plus dans les autres formes d'équivalences (amendes, messes, substitution par tierce personne) ; à nous en tenir à la fréquence avec laquelle les commutations de la seconde catégorie sont mentionnées, il paraît certain qu'elles avaient la faveur des pénitents.

Voici, sous forme de tableaux, quelques exemples de rachats :

1) Rachat sous forme de numéraire :

    1 denier rachète 1 jour de jeûne,

    3,10 ou 20 deniers (suivant le revenu du pécheur) rachètent 7 semaines,

    le prix courant d'un esclave (homme ou femme) rachète 1 an de jeûne,

    26 sous or (**solidi**) rachètent 1 an de jeûne,

    60 sous or rachètent 3 ans de jeûne.

2) Rachat sous forme de messes à faire dire :

    1 messe rachète 7 jours de jeûne,

    10 messes rachètent 4 mois de jeûne,

    20 messes rachètent 7 ou 9 mois de jeûne (suivant les tarifs),

    30 messes rachètent 1 an de jeûne pénitentiel.

Pour le pécheur, faire dire des messes de rachat équivaut à verser au célébrant (prêtre de paroisse, mais surtout moine prêtre) une certaine redevance pécuniaire. Nous avons gardé de nombreuses listes d'honoraires de messes, lesquelles sont parmi les plus anciennes du genre :

100 sous or donnent droit à 120 messes,
1 sou or donne droit à 2 messes,
3 onces donnent droit à 7 messes,
1 livre donne droit à 12 messes.

Nous donnons sous la rubrique « Prières de l'Église » deux formulaires de messes pénitentielles.

3) Rachat par l'entremise d'une tierce personne qui jeûne à la place du coupable.

L'on trouvera dans nos textes choisis un exemple étonnant de cette manière de racheter son jeûne, d'après les canons du pseudo-Edgar (X° siècle). L'abus est ici scandaleux, mais ne constitue pas une exception.

Pour le pécheur riche, et lui seul entrait en ligne de compte, ce rachat consistait à payer des religieux ou de pauvres gens pour qu'ils jeûnent à sa place.

Les conciles réagissent, certes, contre les abus trop criants du rachat pénitentiel, mais non contre le principe même de l'équivalence, comme on peut le lire dans la rubrique consacrée aux « Voix autorisées » — et d'ailleurs sans succès. Les commutations ne disparaîtront que lorsque disparaîtra la pénitence tarifée, pénitence qu'elles ont contribué à vider de son sens religieux.

1. TRAITÉ DES ÉQUIVALENCES PÉNITEN-TIELLES

contenu dans les Canons d'Irlande (*De arreis* = *Canones Hibernenses* c. II) (VIᵉ siècle). (Éd. WASSERSCHLEBEN, pp. 139-140)

---

1. Commutation pour un jeûne de 2 jours : récitation de 100 psaumes, plus 100 génuflexions ou 1 500 génuflexions et sept cantiques.

2. Commutation pour un jeûne de 3 jours : se tenir debout un jour et une nuit, sans dormir — ou très peu — ou réciter

trois fois 50 psaumes avec les cantiques correspondants, ou récitation de l'office des 12 Heures avec 12 prostrations à chaque Heure, les bras en croix.

3. Commutation pour un jeûne d'un an : passer trois jours dans la tombe (le caveau) d'un défunt (d'un saint ?), sans boire ni manger, ni dormir, mais sans quitter les vêtements ; pendant ce temps, le pécheur chantera des psaumes ou récitera l'office horal selon le jugement du prêtre (qui a imposé la pénitence).

4. Autre commutation pour un jeûne d'un an : passer trois jours à l'église, sans boire ni manger, ni dormir, entièrement nu, sans s'asseoir ; pendant ce temps le pécheur chantera des psaumes avec les cantiques et récitera l'office choral. Durant cette prière, il fera 12 génuflexions — le tout après avoir confessé ses péchés devant le prêtre et devant le peuple.

5. Autre commutation pour un jeûne d'un an : passer 12 jours et 12 nuits en ne mangeant que 12 morceaux de trois pains qui sont faits de la troisième partie (lacune dans le texte ; peut-être : attribuée normalement pour un jour).

6. Autre commutation pour un jeûne d'un an : faire douze jeûnes de 3 jours continus.

7. Ou faire un mois de grande pénitence corporelle, au point de mettre sa vie en danger.

8. Ou encore jeûner 40 jours au pain et à l'eau avec un jeûne prolongé (sur deux jours) chaque semaine, plus la récitation de 40 psaumes et 60 prostrations pendant la prière horale.

9. Autre commutation pour un jeûne d'un an : 50 jours de jeûne prolongé, plus récitation de 60 psaumes et prostrations pendant la prière horale.

10. Ou encore, 40 jours de jeûne avec 2 jours de jeûne prolongé chaque semaine, plus récitation de 40 psaumes avec prostrations durant l'office horal.

11. Ou encore, jeûner 100 jours au pain et à l'eau, avec prière horale.

12. Tous ces jeûnes consistent en privation de viande, de vin — un peu de cervoise reste autorisé — et en habitant une cellule autre que la sienne propre.

2. PÉNITENTIEL DE CUMMÉAN (VIIᵉ SIÈCLE)

(Éd. WASSERSCHLEBEN, pp. 462-463)

1. Rachat de trente-six jours de jeûne

Les uns ont décrété : 12 fois 3 jours de jeûne rachètent un an de jeûne au pain et à l'eau ; Théodore est de cet avis.

2. Rachat d'un an de jeûne

D'autres pensent qu'un an de jeûne est racheté par 10 jours de jeûne plus sévère avec seulement une tranche de pain, du sel et de l'eau, plus récitation de 50 psaumes chaque nuit. Autre opinion : un an est racheté par 50 jeûnes sévères et prolongés sur deux jours, avec une nuit entre les deux.

3. Rachat de sept ans de jeûne

Certains hommes avisés ont décrété : (pour 7 années de jeûne) la première année de jeûne au pain et à l'eau est rachetée par 12 fois 2 jours de jeûne, la deuxième année, par 12 fois 50 psaumes récités à genoux ; la troisième année, par 1 jeûne de 2 jours lors d'une fête de calendrier, plus un psautier récité debout : la quatrième année, par 300 coups de bâtons sur le corps nu et entravé ; la cinquième année, par une distribution d'aumônes égale à la valeur de sa nourriture ; la sixième année, en rendant à la victime le bien volé, ou à ses héritiers ; enfin la septième année, en faisant le bien et en évitant le mal.

A ceux qui sont fragiles de corps ou d'âme nous donnons le conseil suivant. Si le jeûne au pain et à l'eau vous paraît trop dur, rachetez-le comme suit : pour un jour, récitez 50 psaumes à genoux, ou 70 psaumes sans génuflexion ; pour une semaine, récitez 300 psaumes, l'un après l'autre, à genoux, ou 320 psaumes sans vous agenouiller. Récitez vos psaumes à l'église ou en privé.

Le pénitent veillera à racheter, exactement comme nous venons de le dire, son temps de pénitence en récitant des psaumes. De plus, chaque jour il prendra sa nourriture à l'heure de sexte — sans pain et sans viande — sobrement, comme la providence la lui donnera, après avoir récité les psaumes.

Le pénitent, qui ne sait pas réciter les psaumes et ne peut pas non plus jeûner, choisira un moine qui fera pénitence à sa place ; quant au pénitent, il donnera pour chaque jour de jeûne un denier loyal aux pauvres.

3. PÉNITENTIEL DU PSEUDO-THÉODORE (VERS 690-740)

(Éd. WASSERSCHLEBEN, p. 622)

Théodore. Pour les malades qui ne peuvent pas jeûner, l'équivalent d'un mois ou d'une année de jeûne sera le prix d'un esclave, homme ou femme. Nous disons un mois ou une année : en effet, les riches peuvent donner davantage pour un mois que les pauvres pour un an. Celui qui est en mesure d'accomplir les pénitences indiquées dans les livres pénitentiels les accomplira, parce que celui qui pèche avec son corps fera pénitence corporellement.

Celui qui ne peut pas jeûner donnera l'aumône selon ses possibilités, à savoir pour un jour de jeûne : un denier, ou deux ou trois, et il pardonnera à ceux qui ont péché contre lui et détournera les pécheurs de leurs erreurs.

De même pour un an de jeûne : 30 sous ; pour la seconde année de jeûne (dans une série de plusieurs années) : 20 sous ; pour la troisième année : 15 sous.

De même. Les pécheurs riches feront pénitence abondamment, c'est-à-dire ils rachèteront largement leur jeûne, comme a

dit Zachée : « Seigneur, je donne la moitié de mes biens. »
Celui qui en a les moyens donnera aux églises des parcelles
de ses terres, libérera quelques serfs, rachètera des captifs et,
surtout, cessera de commettre l'injustice.

De même. Une messe rachète 3 jours de jeûne ; 3 messes
rachètent une semaine de jeûne ; 12 messes rachètent un mois
de jeûne et 12 fois 12 messes rachètent un an.

De même. Un jour de jeûne est racheté par la récitation de
50 psaumes avec génuflexions ou par la récitation d'un psautier complet, sans génuflexions.

De même. Celui qui ne connaît pas les psaumes et, en raison
de sa faiblesse, ne peut ni jeûner ni veiller, ni faire de génuflexions, ni se tenir les bras en croix, ni se jeter à terre, que
celui-là choisisse quelqu'un qui accomplira la pénitence à sa
place et qu'il le paie pour cela, car il est écrit : « Portez les
fardeaux les uns des autres ».

4. PÉNITENTIEL DE BÈDE (VIIIe SIÈCLE)

(Éd. WASSERSCHLEBEN, p. 229-230)

---

1. Douze fois 3 jours de jeûne, plus 3 psautiers et 300 coups
rachètent 1 an de jeûne.

2. Vingt-quatre fois 2 jours de jeûne, avec 3 psautiers, rachètent 1 an.

3. Soixante-seize psaumes, récités durant la nuit, plus
300 coups, rachètent 2 jours de jeûne.

4. Cent psaumes récités durant la nuit, plus 300 coups,
rachètent 3 jours de jeûne.

5. Cent vingt messes, plus 3 psautiers et 300 coups, équivalent à 100 sous en or.

5. *LES CANONS DU ROI EDGAR (X° SIÈCLE)*
(Éd. MANSI, *Concilia* XVIII A, c. 525-526)

1. L'homme puissant qui a de nombreux amis peut, avec leur aide, atténuer grandement sa pénitence. D'abord, au nom de Dieu et par l'intermédiaire de son confesseur, il fera preuve qu'il croit sincèrement. Il pardonnera à ceux qui ont péché contre lui et fera une confession courageuse. Il promettra d'être abstinent et recevra sa pénitence dans les larmes.

2. Ensuite il déposera les armes, quittera le luxe inutile des habits, prendra le bâton de pèlerin et marchera pieds nus. Il se revêtira de laine et d'un cilice, ne couchera plus dans un lit, mais par terre, et fera en sorte de racheter 7 ans de pénitence en 3 jours, grâce à la méthode suivante.

Il prendra 12 hommes qui jeûneront à sa place pendant 3 jours, au pain, à l'eau et aux légumes verts. Il s'en ira ensuite quérir 7 fois 120 hommes qui chacun jeûneront à sa place durant 3 jours. Les jours de jeûne ainsi obtenus sont égaux au nombre de jours contenus dans 7 années.

4. Telle est la commutation pénitentielle que pourra se permettre un homme riche et qui a des amis. Le pauvre ne pourra agir de même ; il lui faut faire tout par lui-même. Et ceci est fort juste que chacun expie par lui-même ses fautes, car il est écrit : « Chacun portera lui-même son propre fardeau. »

III

LES TÉMOINS

Les meilleurs témoins de la pénitence tarifée, qui fait l'essentiel de ce volume, sont les livres pénitentiels eux-mêmes. D'autant plus que ces livrets, rédigés sans art, ne sont en rien des pièces de bibliothèque ou des produits de la littérature didactique, mais des directoires éminemment pratiques et donc en correspondance étroite avec la réalité.

L'on risquerait cependant, en s'appuyant exclusivement sur ces pénitentiels, d'acquérir une vue trop idéale ou trop schématique du déroulement du processus pénitentiel. La réalité a été encore plus cahotique que ne le laissent entrevoir les livres pénitentiels, tout confus qu'ils soient. Il convient de toujours rectifier les documents officiels — et les pénitentiels sont des livres figurant obligatoirement dans les modestes bibliothèques des clercs de l'époque — par les témoignages des contemporains que nous pouvons avoir. La variété entre nos manuels de confesseurs nous suggère à l'évidence que la pratique a été loin d'être uniforme, mais les catalogues des taxes pénitentielles restent muets sur les pénitents et sur les confesseurs.

Comment, du VII° au XI° siècle, se comportaient, au jour le jour, les pénitents et les confesseurs quand ils recevaient ou administraient la pénitence dans les églises des villes ou des campagnes, dans les chapelles des notables ou dans les monastères ? Quelles furent les situations concrètes, les abus, les grandeurs et les misères de l'institution ? Les témoins que nous avons rassemblés ci-dessous permettent de donner une réponse assez satisfaisante.

Si curieux qu'il puisse paraître, il n'a pas été facile de recueillir ces témoignages. Si la littérature religieuse au Moyen Age abonde en exhortations à faire pénitence et à se convertir, ces appels sont la plupart du temps inutilisables pour notre propos, car ils sont beaucoup trop vagues et d'une allure trop générale pour nous documenter avec assez de relief sur l'institution pénitentielle elle-même. Il n'aurait servi à rien de les accumuler ici.

Nous avons donc été obligés de chercher nos textes dans les Chroniques contemporaines, dans les Vies de saints et dans les lettres. Nous regrettons ici de n'avoir pas pu — faute de

place surtout — glaner nos renseignements dans les Mystères,
les fabliaux, les épopées et les sermons rédigés dans les langues
nationales et d'avoir limité notre choix à la littérature médiévale
d'expression latine. Pour la vie quotidienne du chrétien, les textes
en langue d'oïl ou en langue d'oc, ou dans les parlers ger-
maniques représentent une source non négligeable de renseignements.

1. GRÉGOIRE LE GRAND (VERS 540-604)

Nous rangeons parmi les premiers témoins de la pénitence,
après la période paléochrétienne, le pape Grégoire le Grand.
Ce grand pontife, en effet, n'a pas légiféré en la matière ; il
se contente de rapporter la pratique en usage à son époque, et
cette pratique n'a plus rien de commun avec la pénitence antique.
Durant tout le Moyen Age, Grégoire Ier fit autorité en théologie morale et ascétique. Son influence grandit avec Bède le
Vénérable et Alcuin, et marqua les Bonaventure, les Thomas
d'Aquin, Gerson, de même que les mystiques espagnols et alle-
mands. Les enseignements du pape Grégoire sur la validité du
baptême et des ordinations chez les hérétiques, l'indissolubilité
du mariage, le culte des anges et des reliques, sur les dons
du Saint-Esprit et le purgatoire se survivent encore aujourd'hui
dans la théologie de l'Église latine. L'on rattache à Grégoire
le Grand, sans pouvoir préciser, d'importantes réformes en
matière liturgique, telle que l'addition au canon de la messe
du **diesque nostros**, la compilation d'un sacramentaire qui porte
encore son nom, la refonte du chant choral et peut-être une
réédition de l'antiphonaire de la messe.
En ce qui concerne la pénitence, le témoignage de Grégoire
vaut pour la ville de Rome ; il serait de mauvaise méthode de
généraliser. Nous sommes obligés de glaner les textes à travers
toute l'œuvre littéraire du pape, sans jamais rencontrer un exposé
cohérent et complet de la pratique à son époque. Quelques
indices rapides, parfois étonnants, mais très significatifs de ce
qu'était devenue une discipline qui n'est plus la pénitence
antique mais qui ne se confond pas non plus avec la pénitence
tarifée telle qu'elle est en usage dans les pays au nord des Alpes.
Nous empruntons les passages ci-dessous aux **Dialogues**,

ouvrage en quatre livres rédigés dans les années 593-594, à la **Lettre à Gregoria**, cubiculaire impériale (écrite en 597), et aux **Homélies sur les Évangiles**, prononcées vraisemblablement en 590-591 et publiées en deux tomes dès 592-593.

Exemple d'une pénitence de moribond
Dialogues, 1, 12 (Éd. PL 77, c. 212)

Un père de famille à l'article de la mort envoya en hâte des gens au prêtre Sévère, le priant de venir le plus rapidement possible intercéder pour ses péchés moyennant ses prières ; ainsi, ayant fait pénitence, le moribond pourra quitter ce monde libre de toute faute. Le prêtre Sévère était occupé à tailler sa vigne et dit aux envoyés : « Allez de l'avant, je vous suivrai. » Comme il lui restait peu à faire, il s'attarda quelque peu pour achever son travail, puis il se mit en route pour aller trouver le malade. En chemin, les gens qui étaient venus le chercher vinrent à sa rencontre : « Père, pourquoi avez-vous tardé ? Ne vous pressez plus, le malade vient de mourir. » Le prêtre à ces mots se mit à trembler et à crier qu'il venait de le tuer. Tout en larmes, il arriva auprès du défunt et se jetta à terre devant son lit. Il pleurait, frappait sa tête contre terre, s'accusait d'être coupable de sa mort et voici que le défunt revint à la vie. Les assistants, voyant ce spectacle, pleurèrent davantage, mais cette fois de joie. Ils interrogèrent le revenant où il avait été et comment il était venu, et voici les propos que leur tint notre malade : « Les hommes qui me conduisaient avaient la mine sombre, de leur bouche et de leurs narines sortait du feu ; je ne pouvais l'endurer. Ils me conduisirent à travers des lieux obscurs et voici que subitement un jeune homme de belle prestance se tint devant nous et dit aux conducteurs : « Reconduisez-le, car le prêtre Sévère a pleuré et Dieu a été pitoyable à ses larmes ».

A ces mots Sévère se leva et accorda le secours de son ministère au moribond ressuscité et repentant. Durant huit jours le revenant fit pénitence pour ses fautes et le huitième jour il mourut, tout heureux.

Septénaire et trentain grégorien
Dialogues IV, 5. (Éd. PL 77, c. 416-421)

Les fautes (commises en cette vie) ne sont pas inexpiables dans l'au-delà et l'offrande du saint sacrifice peut soulager les âmes même après leur mort.

(Un prêtre vénérable rencontre dans un bois un inconnu fort serviable à qui il apporte, en guise de remerciement, deux couronnes du pain d'oblation). L'étranger, affligé, lui dit : « Pourquoi me donnes-tu ces pains ? Ce pain est saint et je ne puis le manger. Moi-même j'ai été le maître de ces lieux et pour mes péchés j'ai été renvoyé ici. Si tu veux m'aider, offre ces pains au Dieu tout-puissant et intercède pour mes péchés. Tu sauras que tu es exaucé si tu ne me retrouves plus la prochaine fois que tu viendras te baigner ici. » A ces mots, l'étranger disparut, car c'était un fantôme. Le prêtre, durant 7 jours, offrit quotidiennement l'hostie salutaire et, revenu au bois pour se baigner, ne retrouva plus l'étranger.

(Le moine Juste avait caché trois pièces d'or ; il en fait l'aveu au moment de mourir ; Grégoire décide de lui infliger une punition sévère). « Va, dit-il au prévôt du monastère, et fais défense aux frères d'aller trouver le mourant. On ne lui adressera nulle parole de consolation. S'il réclame ses frères, tu lui feras dire qu'il est maudit par tous afin que, du moins à l'heure de sa mort, le repentir de sa faute le tenaille et qu'ainsi il expie son péché. Quand Juste sera mort, ne placez pas son cadavre avec celui des autres frères défunts, mais creusez une fosse dans le fumier et jetez-y le mort et, par-dessus, les trois pièces d'or, en criant tous ensemble : Que ton argent soit avec toi dans ta damnation (Act. VIII, 20). Ensuite recouvrez-le de terre. »

Comme 30 jours avaient passé, j'eus pitié du frère défunt et je songeai avec tristesse aux supplices qu'il endurait ; je me mis à réfléchir s'il y avait un moyen de le sauver. J'appelai à moi le prévôt et, avec tristesse, je lui dis : « Il y a longtemps que notre frère Juste est tourmenté par le feu, nous devons lui montrer notre charité et chercher, suivant nos moyens, à le délivrer. Va et durant 30 jours, offre pour lui le sacrifice de la messe,

sans omettre un seul jour. Le prévôt du monastère s'en alla et
fit comme je lui avais dit. »

Et voici que pendant une nuit, Juste apparut à l'un de ses
frères. Celui-ci s'écria : « Frère, qu'y a-t-il ? Comment te
sens-tu ? » Juste répondit : « Jusqu'à ce moment, j'ai été fort
mal, mais je me sens mieux et j'ai reçu aujourd'hui la communion. » Le frère annonça la nouvelle aux moines. Ceux-ci firent
le compte : or c'était exactement le jour où la trentième messe
venait d'être dite pour Juste.

Pénitence continue pour les péchés

Lettre à Gregoria (Registre des lettres, VII, 22) (Éd. MGH
Epist. I, 464-465)

J'ai reçu votre aimable lettre dans laquelle vous faites un
aveu détaillé de vos fautes. Je sais aussi que vous aimez de toute
votre ferveur le Dieu tout puissant ; j'ai confiance que vous
sera appliquée la parole dite naguère à une sainte femme : « De
nombreux péchés lui seront remis, parce qu'elle a beaucoup
aimé (Luc. VII, 17). »

Vous allez m'importuner avec vos lettres, dites-vous, jusqu'à
ce que je vous écrive que par une révélation je viens d'apprendre
que vos péchés sont pardonnés. Vous me demandez là une
chose difficile et inutile. Difficile : je ne suis pas digne d'avoir
une révélation. Inutile : vous devez être sûre de votre pardon
seulement à la fin de votre vie, quand vous ne pourrez plus
déplorer vos péchés. Jusqu'à ce que vienne ce jour, vous devez
trembler, craindre pour vos péchés et les laver journellement par
vos larmes.

L'absolution sacerdotale ratifie le pardon déjà obtenu par le repentir

Homélie XXVI sur les Évangiles, c. 6. (PL 76, c. 1200)

Il faut examiner les circonstances (qui accompagnent les
péchés) et ensuite employer le pouvoir de lier et de délier.

Il faut examiner la faute et la pénitence qui a suivi : l'on
absoudra ceux à qui le Dieu tout-puissant a déjà donné la
grâce du repentir. Car l'absolution ne sera efficace que si elle
suit la décision du juge intérieur. La résurrection fameuse de
Lazare, mort depuis quatre jours est une preuve de ce que
nous disons. Elle démontre en effet, que d'abord le Seigneur
a appelé Lazare et rendu à la vie son cadavre en disant : « Lazare,
sors (Jo. XI, 43). » Ensuite seulement, quand Lazare était déjà
rendu à la vie, il a été délié par les disciples : « Déliez-le et
laissez-le aller (Jo. XI, 44). » Voilà donc les disciples qui délient
celui qui est déjà vivant et que le maître venait auparavant
de ressusciter. Si les disciples avaient délié Lazare mort, ils
auraient découvert sa pourriture, plus que leur puissance. La
conclusion en est : nous devons absoudre par notre autorité pastorale ceux dont nous savons qu'ils ont déjà été vivifiés par la
grâce. Cette renaissance se manifeste, avant notre absolution,
par la confession des péchés. A Lazare il n'a pas été dit :
« Renais », mais « Sors ». Tout pécheur, tant qu'il cache sa faute
dans sa conscience, reste prisonnier, englouti dans les ténèbres.
Le mort vient à la lumière quand le pécheur confesse spontanément ses fautes. Donc il est dit à Lazare : « Sors ». Comme si
on disait à l'homme enseveli dans son péché : « Pourquoi caches-
tu ton crime à l'intérieur de toi-même ? Sors à la lumière par
la confession, toi qui es enfermé à cause de ton refus de te
confesser. » Que le pécheur sorte donc, c'est-à-dire qu'il confesse
son péché. Les disciples délieront celui qui sort de son tombeau,
de même que les pasteurs de l'Église doivent enlever la peine
qu'il a méritée à celui qui n'a pas eu honte d'avouer son forfait.
J'ajouterai ceci : les pasteurs pèseront soigneusement leur décision de lier ou de délier. Mais que le pasteur lie justement ou
injustement, sa décision devra être respectée par le troupeau des
fidèles, sans quoi l'homme qui peut-être est lié injustement méri-
terait cette injustice à cause d'une autre faute. Que le pasteur se
garde de lier et de délier sans discernement. Le fidèle qui est
sous l'autorité du pasteur redoutera d'être lié, même injustement : qu'il ne renâcle pas témérairement contre une sentence
même injuste, sans quoi lié injustement, son orgueil et ses récri-
minations hautaines seront la cause d'une faute qui sans cela
n'existerait pas.

2. JONAS DE BOBBIO (VERS 600-659)

Jonas est né vers 600 à Susa, dans le Piémont. Dès 618, il est moine à la célèbre abbaye colombanienne de Bobbio. Nous le rencontrons ensuite, avec l'évêque saint Amand, parmi les missionnaires partis pour la France du Nord dans les années 639/642. C'est vers 659 que Jonas rédigea, dans le couvent de Moutiers-Saint-Jean, près de Chalon-sur-Saône, quelques-unes de ses **Vies** les plus célèbres, en particulier celle de sainte Fare.

Nous ne confondrons pas l'abbé Jonas avec son homonyme, l'évêque Jonas d'Orléans (vers 780-843), un contemporain des Carolingiens.

Sainte Fare (595-657), Burgonde d'origine (d'où aussi le nom Burgondofare qui lui est parfois donné), fonda l'abbaye de Faremoutiers (Seine-et-Marne) et la dirigea comme première Abbesse. Les renseignements que nous fournit Jonas dans la **Vie** de la sainte Abbesse nous procurent une vue concrète sur une journée telle que la vivaient des religieuses mérovingiennes, dans l'angoisse et la pénitence. On notera l'importance donnée à l'accusation des fautes que les religieuses sont obligées de faire à leur Mère supérieure.

Confession à la Mère abbesse et punition des religieuses récalcitrantes

Vie de sainte Fare, abesse de Faremoutiers (Éd. MGH Ss. rer. Mer., IV, 37. — PL 87, 1078-1079)

14. (Des religieuses voulant s'échapper du monastère sont clouées miraculeusement sur place.) Les fugitives prises sur le fait avouent leur faute et se confessent à la Mère Supérieure, à leur retour.

15. L'antique serpent s'attaqua ensuite à deux autres sœurs que leur conversion récente rendait plus inexpérimentées et plus faibles, cherchant à les persuader de ne pas faire de confession véridique. C'était en effet, l'habitude au couvent que chaque sœur, trois fois par jour, purifiât son âme par la confes-

sion ; le pieux aveu effaçait les rides spirituelles, quelles
qu'elles pussent être, dues à la faiblesse humaine. Les flèches
du démon avaient excité les vierges en question à ne pas se
confesser sincèrement, ni des fautes commises dans le monde,
ni de celles qu'elles commettaient chaque jour par faiblesse, en
pensée, en paroles et en actes ; de la sorte, le démon ne permet-
tait pas qu'une confession sincère leur rende la paix grâce aux
médecines de la pénitence. Le serpent venimeux leur versait
peu à peu son poison, aveuglait leur esprit et les rendait dociles
à ses ordres par sa malice. Une nuit, il incita nos sœurs à
passer le mur du couvent et à rentrer chez elles. Les sœurs
marchaient dans la nuit profonde et ne pouvaient presque pas
tenir leur chemin à cause des ténèbres épaisses. Mais voici que
le diable cheminait à côté d'elles et les éclairait comme avec
une lampe — grâce au pouvoir occulte dont il dispose — et
leur montrait le chemin vers le monde et les rassurait. Or,
quand les deux fugitives furent arrivées à l'endroit où elles
voulaient se rendre, elles firent retour et revinrent honteuses
à leur couvent, de leur propre gré.

16. A leur retour, elles furent interrogées sur les motifs de
leur évasion. Elles reconnurent avoir été aveuglées par le
diable et avoir, de ce fait, l'esprit un peu dérangé. Toute la
communauté des sœurs les pressait sans que ces réprimandes
produisent le moindre effet. Les deux coupables furent frappées
de la vengeance divine et apprirent ainsi à expier leur forfait.
La mère supérieure cherchait anxieusement la cause de cette
punition céleste et, ne pouvant y parvenir, elle exhortait les
deux religieuses instamment à reconnaître leur crime dans une
confession sincère, quand elles étaient sur le point de mourir.
Or, nos deux sœurs restaient têtues et refusaient le remède (de
la confession). Pendant qu'on les flagellait, elles se mirent à
crier : « Arrêtez, arrêtez un moment, ne vous pressez pas ! »
Leurs consœurs leur demandaient ce que ces mots signifiaient.
Les coupables répondirent : « Ne voyez-vous pas les éthiopiens
(nègres) qui arrivent et veulent nous enlever ? » Les assistantes,
horrifiées, perçurent subitement un grand bruit au-dessus de
la cellule et à travers les tentures. La porte s'ouvrit et des
ombres noires les appelaient par leur nom. A peine les sœurs
présentes pouvaient-elles, après avoir fait le signe de la croix,

continuer à réciter les psaumes. La mère supérieure devant ce
spectacle lamentable, presse les deux sœurs de confesser leurs
fautes, pour qu'elles pussent être réconfortées par la sainte
communion. Les coupables entendant parler de communion
grincèrent des dents et se mirent à hurler : « Demain, demain »,
et répétèrent : « Attendez, attendez un peu. » A ces mots elles
expirèrent. (Enterrées en dehors du cimetière de la communauté, les défuntes viennent dans des apparitions, confirmer
qu'elles étaient damnées.)

3. BÈDE LE VÉNÉRABLE (672 ou 673-735)

Nous citons un court passage du Commentaire de l'épître de
saint Jacques, écrit par Bède. Les œuvres du célèbre historien
de l'Église d'Angleterre — à qui l'on attribue le pénitentiel traduit ci-dessus — ont servi de bréviaire aux clercs du Moyen Age.
Son exégèse du texte de la lettre de Jacques est restée classique en ce qui concerne la pénitence.

Commentaire de l'épître de Jacques, chapitre 5
(Éd. PL 93, c. 39-40.)

Si les malades ont commis des péchés et s'ils les confessent
aux prêtres de l'Église et s'efforcent sincèrement de les éviter
à l'avenir et de se corriger, il leur sera pardonné. Sans confession, les péchés ne peuvent être remis, car il est : « Confessez
vos fautes les uns aux autres. » Cette parole doit être entendue
comme suit : nous confesserons les fautes légères et quotidiennes
à notre prochain et nous croirons que par sa prière quotidienne
nous serons sauvés. Quant aux impuretés dues à une lèpre
plus grave, selon la Loi, nous les avouerons au prêtre, et selon
ce qu'il décidera, nous nous efforcerons de nous en libérer,
suivant la manière et aussi longtemps qu'il nous l'aura ordonné.

4. PAULIN, PATRIARCHE D'AQUILÉE (VERS 750-802)

Paulin a d'abord appartenu au cercle des réformateurs groupés autour d'Alcuin ; il doit à l'amitié que Charlemagne lui témoigna sa vie durant d'être devenu, en 787, patriarche d'Aquilée. Paulin garda des contacts étroits avec la cour impériale et milita, à la demande de l'empereur, et avec Alcuin, contre l'adoptianisme espagnol et pour l'addition du **Filioque** au symbole. Probablement la recension latine du Credo, encore en usage aujourd'hui, doit lui être attribuée.

Les conseils qu'il donne à Haistulphe, meurtrier de sa femme sur un simple soupçon, correspond à ce que nous savons de la pénitence publique à l'époque carolingienne.

Lettre à Haistulphe
(Ed. MGH Ep. iv, 516-527 ; PL 99, 181-186)

(Haistulphe a tué sa femme pour adultère, sur la foi d'un seul témoignage.)

C'est pourquoi accueille notre conseil et fais ce qui te semble le mieux, mais aie pitié de ton âme et ne sois pas ton propre meurtrier.

Nous te supplions, toi qui es un assassin ; quitte ce monde ou tu as commis un forfait aussi horrible. Entre au monastère ; soumets-toi à l'abbé, avec le soutien que t'apportent les prières de tes frères. Obéis sans discussion à ce que te commandera l'abbé, et peut-être alors l'infinie bonté de Dieu te donnera-t-elle le pardon et rendra-t-elle la paix à ton âme, avant que ne te brûlent les flammes éternelles. Ceci est mon premier conseil et le plus facile.

Sinon, si tu désires faire pénitence publique en continuant à vivre chez toi et dans le monde — ce qui sera pour toi plus difficile, plus pénible et moins salutaire — nous t'exhortons à agir comme suit. Tu feras pénitence tous les jours de ta vie. Tu ne boiras ni vin ni bière ; tu ne mangeras jamais de viande, quelle qu'elle soit, sauf le jour de Pâques et à Noël. Tu jeûneras au pain, à l'eau et au sel. Passe ton temps dans les jeûnes, les veilles, les prières et les aumônes. Ne porte plus jamais les armes, ne te bats jamais, où que ce soit et pour n'importe quel motif. Il t'est interdit de te remarier, de tenir une concubine ou de commettre la fornication. Tu ne prendras plus de bain et tu ne participeras pas aux banquets. A l'église, séparé des autres fidèles, tu te tiendras derrière le porche. Recommande-toi aux prières de ceux qui entrent et qui sortent. Ta vie durant, tu ne communieras plus au Corps et au Sang du Christ, car tu auras conscience de ton indignité. A la fin de ta vie, tu recevras la communion, en guise de viatique, si tu as la grâce de trouver un prêtre qui puisse te l'administrer. C'est la seule faveur que nous pouvons t'accorder.

Il y aurait bien d'autres mortifications, plus dures et plus terribles que tu devrais subir, malheureux, après ton forfait ! Cependant, si tu accomplis tout ce que dans notre miséricorde nous t'indiquons, si tu l'accomplis avec un cœur contrit et avec la grâce de Dieu, nous avons confiance que l'infinie miséricorde de Dieu saura t'accorder le pardon. La sainte Église, selon le commandement du Bon Pasteur, te déliera de ton péché sur cette terre pour que, par la grâce de celui qui t'a racheté par son sang, tu sois délié au ciel.

Mais s'il t'arrivait d'agir autrement et si tu méprisais les recommandations de la sainte mère l'Église, tu te condamneras toi-même et tu resteras prisonnier dans les filets du démon. Ton sang retombera sur ta tête ! Quant à nous, nous désintéressant de ton sort, nous travaillerons de toutes nos forces pour les autres fils de Dieu — avec son aide — et nous continuerons à implorer la miséricorde du Seigneur qui avec le Père et l'Esprit Saint vit et règne, Dieu, dans la Trinité parfaite, pour les siècles. Amen.

5. ALCUIN (VERS 730-804)

Alcuin est né vers 730 à York où il servit aussi durant une décennie environ comme diacre. Lors d'un voyage en Italie, il fut présenté à Charlemagne, alors de passage à Parme. Le futur empereur l'appela à sa cour. Alcuin s'y rendit en 782 avec plusieurs compatriotes et y resta jusqu'à deux ans avant sa mort.

Autour d'Alcuin, et sous sa direction intellectuelle et spirituelle, se rassemblèrent bientôt tous les artisans du mouvement qu'avec une certaine exagération peut-être l'on qualifie de renaissance carolingienne. Il suffira de citer ses élèves Eginhard, Amalaire et Raban Maur. Nous devons à Alcuin un Supplément et une révision du sacramentaire grégorien (l'**Hadrianum** supplémenté par Alcuin ; des recherches récentes attribuent ce supplément à Benoît d'Aniane), peut-être aussi une révision du texte de la Bible. L'on a cependant tort de parler à ce propos de Bible « impériale ». En 801, Alcuin se retire à l'abbaye de Tours, que Charlemagne lui avait donnée en commande en 796. Il y meurt en 804.

Nous avons dit plus haut que les réformes carolingiennes en matière pénitentielle — comme ailleurs — furent des demi-succès seulement. La lettre aux chrétiens de la Septimanie a une importance considérable. L'on y apprend qu'au sud de la Loire — dans une aire située à l'écart des pérégrinations missionnaires des disciples de saint Colomban — certains chrétiens se refusent à faire pénitence selon le système tarifé, avec accusation détaillée des fautes. Ce refus ne provient pas — et Alcuin ne l'ignore point — d'un manque de zèle ou d'esprit de pénitence, mais d'une réaction hostile contre une innovation jugée comme antichrétienne par des fidèles qui ne connaissaient que la pénitence antique. En fait, les chrétiens de Septimanie auxquels s'adresse Alcuin se contentaient de la réconciliation sur le lit de mort. Alcuin est donc obligé de justifier théologiquement l'accusation des fautes faite au prêtre. Les textes qu'il allègue figurent dans l'argumentation traditionnelle encore aujourd'hui.

Nécessité de la confession au prêtre
Lettre 112 aux chrétiens de la Septimanie (Éd. MGH Ep. IV,
ep. 138 ; PL 100, c. 337-341.)

Aux vénérables frères et pères de la province de la Septimanie, le diacre Alcuin, humble serviteur de l'Église du Christ,
salut !

Très souvent nous avons entendu des louanges à votre sujet,
pour votre sagesse et votre piété, que ce soit à propos de la
très sainte vie monastique ou que ce soit à propos de la
manière pieuse dont se conduisent les laïcs. L'on me dit que
les moines, libérés du bruit de ce monde et des préoccupations
du siècle, se consacrent à Dieu seul ; l'on me dit aussi que les
laïcs, au milieu des occupations de ce monde, vivent chastement, selon la raison. Ceux-là ne cessent d'aider par leurs
prières quotidiennes leurs compagnons de misère, ceux-ci
n'arrêtent pas de soutenir matériellement les religieux qui
prient pour eux : chacun reporte ainsi sur l'autre la grâce
et les bienfaits que Dieu lui a accordés.

L'aveu des fautes fait à Dieu seul ne suffit pas

Mais animés par la charité nous avons dû adresser à quelques
saintes personnes de chez vous de petites lettres d'admonestation
à propos de certaines habitudes que l'on me dit avoir cours
dans vos régions. L'on rapporte, en effet, qu'aucun laïc ne veut
confesser ses péchés aux prêtres, lesquels, c'est notre conviction,
ont reçu du Christ notre Dieu, avec les saints apôtres, le pouvoir de lier et de délier (cf. Matth. XVI, 19 ; XVIII, 18). Or,
que peut délier le pouvoir sacerdotal s'il ne connaît pas les
liens par quoi les pécheurs sont enchaînés ? L'aide que peut
apporter un médecin prend fin si les blessures du malade lui
restent inconnues. Si les blessures de notre corps requièrent
les mains du médecin, combien plus les blessures de l'âme
réclament-elles le secours du médecin spirituel ? Tu veux, toi,
ne confesser tes péchés qu'à Dieu — que bon gré mal gré

tu ne saurais tromper — et tu négliges de donner satisfaction
à l'Église contre laquelle tu as péché ? Pourquoi le Christ lui-
même a-t-il ordonné au lépreux qu'il venait de guérir, de se
présenter aux prêtres (cf. Matth. VIII, 4) ? Pourquoi a-t-il
demandé à d'autres d'absoudre Lazare mort et ressuscité par
lui après trois jours de tombeau (cf. Jo. XI, 44) ? Ne pou-
vait-il donc pas délier les bandelettes du mort avec la même
parole avec laquelle il lui avait ordonné de sortir de son tombeau ? Pourquoi a-t-il demandé aux aveugles qui criaient
vers lui « ce qu'ils voulaient (cf. Matth. XX, 32) ? » Pou-
vait-il ignorer le désir de leur cœur, lui qui était capable de
leur rendre la lumière des yeux ? Probablement si tu pouvais
tromper Dieu, comme tu peux tromper les hommes, tu ne
voudrais pas plus te confesser à Dieu qu'au prêtre. C'est une
forme de l'orgueil que de dédaigner le prêtre comme juge.
Tu dis : « Il est bon de faire sa confession à Dieu (cf. Ps.
XCXI, 2) » ; mais il est tout aussi bon d'avoir un témoin de
cette confession. Encore que le mot de « confession » ne signifie
pas toujours « pénitence », mais très souvent « louange »
comme il est dit dans l'Évangile : « Je confesse c'est-à-dire je
t'adresse des louanges, à toi, Père du ciel et de la terre (Matth.
XI, 25). » Et dans le symbole il est dit : « Je confesse un seul
baptême. » Le mot « je confesse », à cet endroit, signifie
« profession de foi », et non aveu des péchés. Tu as honte de
te montrer à un homme pour ton salut, toi qui ne rougis nullement de te damner avec les hommes. Tu veux bien que ta
servante soit complice de tes forfaits, et tu ne veux pas que le
prêtre du Christ aide à te réconcilier. L'ennemi t'a fait tomber
et tu refuses l'ami qui aide à te relever ? Tu as offensé ton
Seigneur et tu ne veux d'autre réconciliateur que toi-même ?
Tu as confiance en tes prières pour te sauver ? Tu méprises
l'enseignement de l'apôtre : « Priez l'un pour l'autre afin de
faire votre salut », et encore : « Si quelqu'un est pécheur, que
le prêtre prie pour lui et il sera sauvé. » Que dites-vous de ce
qui est écrit dans la même lettre : « Confessez vos fautes les
uns aux autres (Jacques V, 14-16) » pour que vos fautes soient
effacées ? Que signifie « les uns aux autres » si ce n'est l'homme
à un autre homme, le coupable au juge, le malade au médecin ?
La Sagesse proclame par la bouche de Salomon : « Celui qui

cache ses péchés, ne prospérera pas (Prov. XXVIII, 13) »,
c'est-à-dire ne fera pas son salut.

Nos fautes sauraient-elles être cachées à Dieu, à lui qui
voit, connaît et observe tout ? Nous pouvons nous cacher devant
les hommes, pas devant Dieu. David n'a-t-il pas dit, en présence de Nathan qui le reprenait pour ses fautes : « J'ai péché
contre le Seigneur (2 Rois, XII, 13) ? » Voici qu'un homme
si considérable a voulu avoir un prophète comme témoin de
son aveu ! N'ayant pas rougi de confesser ce qu'il avait fait
de mal, il s'est entendu dire : « Voici que le Seigneur a effacé
ta faute. » Il a avoué son péché à un homme, et il a reçu de
Dieu immédiatement le remède. Dans le Lévitique, très souvent,
sur l'ordre du Seigneur, le pécheur est envoyé au prêtre
avec son offrande, pour que le prêtre, l'offrant à Dieu, prie
pour lui et lui obtienne le pardon (Lev. V, 12). Quelle est
l'offrance pour nos péchés, si ce n'est la confession de nos
fautes ? Nous devons l'offrir à Dieu par l'intermédiaire du
prêtre, afin que par ses prières notre confession soit agréable
à Dieu et que de lui nous obtenions la rémission : « Les sacrifices, c'est un esprit brisé ; ô Dieu, tu ne dédaignes pas un cœur
brisé et contrit (Ps. L, 19). »

Le Christ est venu dans ce monde pour être jugé par ses
ennemis pour nos fautes, afin de nous libérer du joug du
démon — et nous, nous refusons d'être jugés par les saints
prêtres de Dieu et d'être ainsi libérés des liens du péché ? Lui,
le Christ, sans péchés, n'a pas refusé de se soumettre au jugement d'hommes impies — et nous, nous mépriserions le jugement d'hommes consacrés ? Dans le baptême ne devons-nous
pas confesser notre foi et renoncer à Satan devant les prêtres
du Christ pour être lavés de tous nos péchés, par le ministère
des prêtres, avec l'aide de la grâce divine ? Pourquoi donc dans
le second baptême qu'est la pénitence, ne devrions-nous pas,
en avouant humblement, être absous des péchés commis après
le premier baptême, grâce précisément au ministère des prêtres
et avec l'assistance de la même grâce divine ?

S'il ne faut pas confesser les fautes aux prêtres, pourquoi,
dans le Sacramentaire, lisons-nous des prières de réconciliation ?
Comment le prêtre pourrait-il réconcilier celui dont il ignore
le péché ? (Nouveaux textes scripturaires : Prov. XX, 18 ;

XVIII, 19). C'est donc pour rien que l'Église possède les remèdes (pour la maladie du péché), pour rien que les conciles les recommandent contre les blessures causées par nos péchés ? (Nouveaux textes scripturaires : Rom. x, 10 ; Is. XLIII, 26 ; Prov. XVIII, 17; Ps. XXXI, 5 ; Joel I, 17 ; Luc XV, 18 ; Is. III, 20-21 ; 1 Petri II, 9 ; Eph. v, 8-9 ; Col. III, 9-10 ; Eph. VI, 16 ; Marc V, 38 ; Luc VII, 12 ; Jo XI.)

Suivez les pas de nos saints Pères et n'introduisez pas de nouvelles sectes dans la foi.

6. JONAS, ÉVÊQUE D'ORLÉANS (VERS 780-843)

Depuis 818, Jonas est évêque d'Orléans. Son traité de **L'Instruction des laïcs**, rédigé avant 828, exprime les idées qui furent celles d'Alcuin en matière pénitentielle. Jonas reprend la distinction déjà rencontrée ailleurs : les fautes graves doivent être confessées aux prêtres **seuls**. La confession aux laïcs est réservée aux péchés quotidiens, de moindre importance.

L'essentiel de l'ouvrage n'est cependant pas là. **L'instruction des laïcs** est le premier volet d'un diptyque dont le second est **L'instruction des princes**, rédigé vers les années 830/834. Jonas y distingue et oppose l'autorité des évêques et celle du roi, pour affirmer que le rôle du prince est de gouverner ses Etats et de protéger l'Église, sans empiéter sur la compétence de celle-ci.

La confession des fautes graves doit se faire au prêtre

De l'instruction des laïcs (avant 828) (PL 106, c. 151-160.)

I, 15. Les fidèles confessent leurs fautes aux prêtres, parce que c'est à eux que le Seigneur a remis le pouvoir de lier et de délier. De leur appréciation dépend aussi le temps durant lequel il faut faire pénitence. A vrai dire, la pénitence ne se mesure pas selon le temps de l'expiation, mais d'après la contrition intérieure : la pénitence de David et de tant d'autres saints pénitents a été « subite », et entière. Mais bien que chacun doive confesser ses fautes au prêtre pour accomplir suivant ses instructions un temps d'expiation plus ou moins long, c'est cependant à Dieu seul que dans la contrition de son cœur, avec des pleurs et des gémissements, le pécheur demandera le pardon, dans la prière, à Dieu seul qu'il a offensé en péchant. Alors seulement le pécheur dira à juste titre à Dieu : « Détourne ta face de mes fautes, efface de moi toute malice (Ps. L, 11). » (Autres citations tirées de Ps. L, 5 ; XXXI, 4 ; XXXVI, 5 ; Prov. XXVIII, 12 ; 1 Jo. I, 9). Telle est la véritable intégrité de l'esprit ! Le pécheur n'a pas oublié son péché et son iniquité. Bien que la faute lui ait été remise, il garde en mémoire — telle une peinture — l'image de l'adultère ou de l'homicide qu'il a commis. Il voit constamment sa pourriture et dit avec raison : « Ma faute est devant moi sans relâche (Ps. L, 5). »

La confession faite à Dieu

Tous ces témoignages indiquent qu'en plus de l'aveu qui doit être fait sans tarder aux prêtres, chacun doit aussi confesser ses péchés à Dieu dans la prière et les laver dans les gémissements et les larmes. Et si quelqu'un cherche à savoir dans son indiscrète curiosité où donc il est dit dans le Nouveau Testament qu'il faut confesser ses péchés aux prêtres, qu'il sache que selon le témoignage de Marc l'évangéliste ceux qui étaient baptisés par Jean confessaient leurs péchés (Marc I, 5). Qu'il sache aussi qu'à la suite de la prédication de Paul aux Éphésiens : « Beaucoup de ceux qui étaient devenus croyants venaient faire leurs aveux et dévoiler leurs pratiques (Act. XIX, 18). » Et selon la lettre de Jean l'apôtre : « Si nous confessons nos péchés, Dieu est assez fidèle et juste pour remettre nos péchés (1 Jo, I, 9). » De même, dans la lettre de Jacques : « Confessez donc vos péchés les uns aux autres et priez les uns pour les autres afin que vous soyez sauvés (Jacques V, 16). »

Les fautes vénielles
doivent être confessées aux laïcs

I, 16. C'est l'usage dans l'Église de confesser les fautes graves
aux prêtres, par le ministère desquels les hommes sont réconciliés
avec Dieu. Quant aux péchés quotidiens et légers, rares sont
ceux qui les confessent les uns aux autres, excepté les moines,
qui le font journellement. Or, il faut confesser les uns aux
autres les fautes quotidiennes, comme le prouvent les témoignages suivants : Jésus fils de Sirach : « N'aie pas honte de
confesser tes péchés (Eccli. IV, 26). » (Autres témoignages
scripturaires : Prov. XVIII, 17 ; Matth. VII, 14 ; Jacques V, 16 ;
textes patristiques : Bède, *In cap. 5 epist. Jacobi* ; Jérôme,
Comment. in cap. 10 Ecclesiastici vers. 11 ; *In exposit. Prover-
biorum* 10 ; Grégoire le Grand, *Moralium lib.* XXII, 10 ;
Origène, *In cap. 3 Levitivi homil.* 3). De tous ces documents
il ressort ceci : nous devons confesser les uns aux autres les
fautes quotidiennes et les laver par nos prières, nos aumônes,
notre humilité et la contrition du cœur et du corps.

Gravité des péchés commis en paroles
et en pensées

I, 17. Il y a des gens en grand nombre qui estiment ne pas
pécher du tout s'ils tiennent des propos obscènes ou grivois,
s'ils profèrent des injures ou bavardent sottement, ou encore
s'ils se complaisent dans les pensées impures. Or c'est là une
source de péchés, non seulement pour ceux qui tiennent ces
propos, mais aussi pour ceux qui y prêtent une oreille com-
plaisante. Les pensées impures excitent souvent aux actes,
comme il est dit dans l'Évangile : « Du cœur en effet pro-
cèdent mauvais desseins, meurtres, adultères, débauches (Matth.
XV, 19). » De même que les saintes pensées nous protègent —
c'est l'évidence — de même les pensées impures nous souillent. Si nous avons l'habitude, comme le dit Bède le Vénérable,

d'accomplir certains actes, de dire ou d'entendre certains
propos, ces actes et ces propos s'installent dans notre âme,
comme dans leur propre maison. Et comme les porcs ont coutume de se vautrer dans les marécages et les colombes de se
baigner dans des eaux limpides, de même les pensées impures
troublent et souillent notre âme, tandis que les pensées saintes
la purifient. Isidore dans son livre des *Sentences* écrit : « Même
si quelqu'un s'abstient de mal faire, il ne sera pas pour autant
justifié s'il se laisse aller aux mauvaises pensées. » C'est pourquoi le Seigneur a dit par son prophète Isaïe : « Lavez-vous,
purifiez-vous, ôtez votre méchanceté de ma vue (Is. I, 16). »
Nous ne péchons pas seulement en actes, mais en pensée, si
nous nous y complaisons quand elles sont mauvaises. Comme
périt la vipère déchirée par les petits qu'elle porte, ainsi les
pensées que nous entretenons en nous nous tuent, nous cor-
rompent de l'intérieur comme le venin de vipère, et blessent
mortellement notre âme d'une plaie cruelle.

Il dépend de notre volonté que les pensées défendues occupent, ou non, notre âme et que nous nous en délections ; c'est
le travail des démons de favoriser cette complaisance. Le
démon n'est pas l'auteur, mais l'instigateur des pensées impures,
comme le dit Jérôme dans ses Commentaires sur l'évangile
de Matthieu (Jérôme, *Comment. in Matth.* c. 15). Il faut donc
chasser de notre cœur les pensées mauvaises, comme nous
chassons les mouches immondes, avec l'aide divine. Quand une
tache vient à maculer nos vêtements, nous l'enlevons sans
tarder ; de même il faut repousser de son cœur les pensées
impures. Comme une parcelle de charbon, si elle tombe sur
notre corps, nous cause des brûlures quand elle n'est pas
rejetée immédiatement, ainsi les pensées impures s'attachent
à notre âme, lui causent une blessure, à savoir le péché, si nous
ne les rejetons pas immédiatement.

Secret de la confession

I, 18. Ceux qui avouent dans une confession secrète leurs
péchés aux prêtres et les expient par des œuvres de pénitence

appropriées ne doivent pas être dénoncés. Pour les péchés qu'un frère commet contre son frère, on suivra l'enseignement de l'évangile. Quant à ceux qui ont connaissance des péchés d'autrui et ne cherchent pas à les corriger ou ne les dénoncent pas afin de corriger le pécheur, ils se trouvent dans un grand danger (spirituel).

La damnation est éternelle

I, 19. Chez certains chrétiens une opinion est fort répandue : les fidèles baptisés, même s'ils vivent dans le péché et ne cessent de mal faire qu'avec leur mort, seront condamnés, certes, à brûler longtemps dans l'au-delà pour leur expiation, mais non à brûler éternellement. L'on parle ainsi sans apporter de preuves tirées de l'Écriture. L'on se gardera donc de penser ainsi et surtout de le dire, pour ne pas se bercer soi-même et les autres dans une vaine sécurité. La foi seule, sans les œuvres, ne saurait conduire personne au royaume éternel ; nous le démontrerons dans ce chapitre. Ceux qui vivent dans le péché et ne le rachètent pas par les gémissements de la pénitence, et par les aumônes largement distribuées, et persévèrent dans le mal jusqu'à la fin, ceux-là souffriront des tourments plus atroces que les païens, lesquels, sans être baptisés, ont accompli de bonnes œuvres. Et voici les témoignages : (Textes tirés de 2 Petri II, 21 ; Luc XII, 47-48 ; Matth. XII, 44 ; Origène, *In Exod. hom. 8* ; Bède, *In exposit. evang. Lucae* XI, 26 ; Augustin, *Enchiridion*, c. 67).

7. PSEUDO-MAXIME DE TURIN (VIII°/IX° SIÈCLES)

Sous le patronage usurpé de Maxime de Turin († vers 430) sont placées un nombre important d'homélies qui, en fait, appartiennent au VIII° ou au IX° siècle. L'**Homélie 104 sur les hérétiques**, dont nous reproduisons un extrait, appartient à cette catégorie.

La cupidité que l'auteur du sermon reproche aux hérétiques

dans l'administration de la pénitence se rencontre aussi chez
les confesseurs de l'Église catholique, comme en témoigne par
exemple Césaire de Heisterbach dont nous donnons plus loin
quelques exemples.

Cupidité de certains confesseurs

Homélie 104 sur les hérétiques qui vendent le pardon des
péchés. (PL 57, c. 493-496.)

Ne nous étonnons pas que des hérétiques se soient manifestés dans nos régions. De même que le loup ravisseur poursuit sans relâche le troupeau des brebis, le démon harcèle
le peuple chrétien. Non sans avantage pour nous : la brebis,
rendue plus attentive, n'abandonnera pas le troupeau, ni le
chrétien son Église. C'est pourquoi l'apôtre dit : « Il faut qu'il
y ait parmi vous des hérésies, afin que les frères d'une vertu
éprouvée soient manifestés parmi vous (1 Cor. xi, 19) »,
ce qui signifie : il faut que les chrétiens combattent le combat
de la foi pour que la victoire soit certaine, après leurs épreuves.
Laissons de côté les blasphèmes de ces hérétiques et résumons
ici leurs directives pratiques. Leurs chefs, qu'ils appellent des
presbytres, disent qu'ils ont une mission précise : si un laïc leur
confesse ses péchés, ils ne lui disent pas : « Fais pénitence,
regrette ce que tu as fait, pleure tes péchés », mais : « Donne-
moi tant pour ce péché et il te sera remis. » Quel prêtre
ignorant et stupide ! Il s'imagine que le Christ pardonne le
péché, quand lui, le prêtre, perçoit une taxe ! Il ignore que
le Sauveur pardonne les péchés à titre gracieux et ne demande
pour les fautes commises que des larmes de repentir, mais non
des sommes plus ou moins importantes. Il dit lui-même : « Vous
avez reçu gratuitement, donnez gratuitement (Matth. x, 8). »
Pierre, après son triple reniement, n'a pas imploré son pardon
en promettant des dons matériels, mais en donnant ses larmes.
L'évangéliste dit à son sujet : « Il a pleuré amèrement (Luc
xxii, 62). » Tu vois donc que pour le Christ ce sont les
larmes qui importent, et non les offrandes. Plus sincèrement
quelqu'un pleure-t-il son péché, plus rapidement aussi il recevra
le pardon. Ce prêtre reçoit donc une offrande et, en vertu de

je ne sais quel accord, il promet le pardon au nom du Sauveur.
Quel contrat inepte, où il est dit que le péché contre le
Seigneur est moindre si l'on donne davantage au prêtre.
Pour les docteurs de cette sorte les riches seront toujours
innocents, et les pauvres toujours coupables. Comment, en
effet, le pauvre pourrait-il satisfaire pour ses péchés lui qui
n'a pas de quoi payer pour eux ?

8. THIETMAR, ÉVÊQUE DE MERSEBOURG (975-1018)

L'évêque Thietmar est connu surtout par la **Chronique**, dont
l'original est conservé, qu'il a rédigée au jour le jour à partir
de l'année 1012. Il s'agit donc d'observations et de réflexions
d'un contemporain ; d'où aussi le prix qui s'attache à ces
notices. Si étranges que peuvent nous paraître certains récits,
nous n'avons aucune raison de ne pas y ajouter foi. Le témoignage de Thietmar est corroboré par d'autres documents.

Confession aux laïcs

Chronique, livre VII (ann. 975-1018). (MGH Scriptores,
IX ; PL 139, c. 1369.)

10. En ces jours de fête, Ernost, duc d'Alémanie, successeur
d'Herrmann, pendant une chasse, dans une forêt, fut blessé,
hélas ! par un de ses hommes, par une inattention de celui-ci,
plus que de propos délibéré, au moment où il voulait abattre
une biche. Ernost, voyant sa fin proche, appela ses compagnons
et les supplia d'épargner le coupable. Or, il n'y avait pas de
prêtre sur place à qui il pût confesser ses péchés. Ernost demanda
à l'un de ses hommes d'approcher, et de tenir la place du
prêtre. Quand il vit l'homme à côté de lui il s'écria : « Venez
tous et apprenez les forfaits de moi, votre compagnon, qui
suis un pécheur, et aidez-moi tous à y porter remède. Recommandez mon âme pécheresse à tous les fidèles absents, je
vous en supplie. Recommandez à ma femme de me rester

fidèle et de ne pas m'oublier. » Ayant dit, il s'ouvrit en public
de tout ce dont il se souvenait ; peu après il expira, le deuxième
jour des Calendes de juin (31 mai 850). Il fut inhumé à
Wurzbourg près de son père, le comte Luitpold, comme il
l'avait demandé. L'âme de cet homme, je veux l'espérer, est
maintenant bienheureuse ; en effet, pendant qu'il était encore
en vie, comme il l'a prouvé, il a préféré rougir de honte pour
ses péchés ici-bas, plutôt que de se cacher devant le Dieu tout-
puissant. Instruisez-vous, frères dans le Christ, à cet exemple et
découvrez votre maladie intérieure au céleste médecin. Ne
méprisez jamais les remèdes salutaires qu'il vous indiquera
et, en définitive, quel que puisse être son confesseur,
clerc ou laïc, le pécheur ne tardera pas à faire une confession contrite, pour trouver au ciel un intercesseur propice.

9. PIERRE DAMIEN (1007-1072)

Parmi les pénitences, le jeûne occupe une place de choix
dans le système tarifé. Cependant, d'autres mortifications sont
parfois prévues et, en tête de celles-ci, la flagellation. Les
anciennes Règles monastiques la connaissent comme châtiment
pour les moines récalcitrants, ainsi la Règle de saint Pachôme
(PL 23, 81 D), celle de saint Benoît (c. 49, 54, 65, 70), de saint
Colomban (PL 80, 219 A) et de saint Césaire d'Arles (dans
Morin, **Opera**, II, p. 107). Les livres pénitentiels en parlent peu,
si ce n'est sous la forme de coups de bâton, ou de corrections,
quand il s'agit de jeunes délinquants. Ce n'est que dans la
première moitié du VIIIᵉ siècle que la flagellation apparaît comme
expiation pénitentielle (chez saint Pandulphe, abbé de Guéret
† 737 ; MGH Ss. rer. Mer., VII, 28).
Pierre Damien, cardinal de la sainte Église (1007/1072), en fut
le propagandiste convaincu. Son opuscule **De l'excellence de la
flagellation** (PL 145, 679/686), adressé aux moines du Mont-
Cassin, devint très vite un classique en la matière, et contribua
à faire passer dans la pratique journalière et domestique ce qui
était, avant lui, surtout un exercice en faveur chez les moines.
Un siècle après Pierre Damien, la flagellation, qui servait aussi
de rachat pour le jeûne pénitentiel, donna lieu à ce scandale

permanent de la chrétienté médiévale que furent les flagellants
et leurs processions.

Nous citons de Pierre Damien un extrait de la vie de saint
Dominique l'Encuirassé, rédigée vers 1062-1063, où la flagellation apparaît comme une commutation pénitentielle, non moins
abusive, à notre avis, que les rachats par argent ou par messes.

La flagellation « rachète » l'expiation tarifée

Vies des ss. Rodolphe de Gubbio et Dominique l'Encui-
rassé (vers 1062-1063) (PL 144, 1014-1024.)

8. Pourquoi aller au loin pour découvrir des saints, alors
que je ne fais pas mention de ceux qui vivent devant le seuil
de ma porte, à portée de main pour ainsi dire. C'est le cas de
Dominique, mon maître et mon seigneur, dont le langage est
certes grossier, mais la vie bien remplie et d'une grande délicatesse.

Depuis de longues années déjà, serré dans une cuirasse de
fer qui lui mord les chairs, il mène un combat sans trêve contre
les esprits mauvais. Quel combattant acharné, toujours prêt à
la lutte, le cœur et le corps bien défendus contre les armées
ennemies ! Suivant son habitude, il ne laissait passer un seul
jour sans réciter deux psautiers et sans se flageller pendant ce
temps, nu, des deux mains, avec des paquets de verges. Et
ceci les jours ordinaires ! Car en Carême, ou quand il avait
à accomplir sa pénitence — souvent on lui imposait des
jeûnes de cent ans ! — il disait au moins trois psautiers,
chaque jour, pendant qu'il se flagellait. Lui-même m'a appris
comment il s'acquittait de 100 années de jeûne.

Suivant le tarif en vigueur chez nous 3 000 coups de verges
équivalent à un an de jeûne ; pendant 10 psaumes l'on peut
se donner 1 000 coups de verges. Or, un psautier se compose
de 150 psaumes. Cinq ans de jeûne sont donc rachetés par la
récitation d'un psautier. Il s'ensuit que le pécheur qui récite, en
se flagellant, 20 psautiers, peut estimer avoir accompli
100 années de jeûne.

Dominique surpassait dans ses mortifications bien d'autres
saints qui, pour se flageller, ne prenaient qu'une main ; lui

employait les deux mains pour mieux combattre contre les tentations charnelles ! Il m'a confié qu'il accomplissait facilement en six jours une pénitence de 100 années. Je me souviens qu'au début d'un Carême il m'avait demandé de lui imposer comme pénitence 1 000 (mille !) années de jeûne, se faisant fort de les racheter avant la fin du temps quadragésimal.

Il est étonnant, étant donné son grand âge et ses infirmités, que Dominique ait été brûlé d'un feu tel qu'il restait infatigable aux exercices spirituels. Lui-même m'a raconté qu'il récitait 2 psautiers sans s'asseoir, et sans s'arrêter, même pendant un instant, de se flageller avec fureur.

Je lui demandais un jour comment il pouvait, avec le poids de sa cuirasse de fer, accomplir des génuflexions. Il me donna une réponse évasive : « Je me porte mieux quand je fais, pendant la récitation d'un psautier, 100 génuflexions par psaume. » Sur le moment je n'y fis pas attention, mais en y réflichissant je fus stupéfié qu'un homme malade pût faire tant de génuflexions pendant un psautier.

Un jour après vêpres, il vint me trouver dans ma cellule : « Maître, s'écria-t-il (il employait par humilité ce qualicatif qui ne me convenait pas), aujourd'hui j'ai fait ce que je crois n'avoir jamais encore réussi : j'ai récité 8 psautiers en un jour et une nuit. Sa figure était labourée par les coups et livide, avec des stries laissées par le fouet, comme une meule usée.

La pénitence accomplie par le clergé milanais

Opuscule V. Rapport sur les scandales survenus dans l'Église de Milan (PL 145, c. 97-98.)

Pénitence imposée à l'archevêque pour simonie.

Le seigneur archevêque se jette à terre en toute humilité et demande qu'une pénitence lui soit imposée pour le commerce qu'il avait fait des choses saintes. A vrai dire, il ne fut pas à l'origine du trafic simoniaque dans l'Église de Milan, mais il ne l'a pas non plus réprimé comme il se devait. Il eut à faire 100 ans de pénitence ; pour chaque année une rédemption calculée en numéraire a été fixée.

Pénitence imposée aux clercs.

Voici en quoi elle consiste. Pour ceux qui ont violé le règle-
ment canonique seulement, sans savoir exactement ce qu'ils
faisaient : 5 ans de pénitence. Ils l'accompliront comme suit :
à chaque époque de l'année, en été, comme en hiver, ils
jeûneront au pain et à l'eau durant 2 jours, chaque semaine ;
pendant les deux périodes de jeûne avant Pâques et avant Noël,
ils jeûneront 3 jours par semaine.

Ceux qui ont failli plus gravement feront une pénitence de
7 ans, avec une répartition des jeûnes comme ci-dessus. Après
ce septenat, ils jeûneront, tant qu'ils seront en vie, chaque vendredi.

Le coupable qui ne peut pas facilement jeûner aura la
possibilité de racheter un de ces jours, chaque semaine, en
récitant un psautier entier, ou bien la moitié d'un psautier,
mais combiné avec 50 prostrations jusqu'à terre ; ou encore, il
nourrira un pauvre et lui fera l'aumône, après lui avoir lavé les
pieds.

Le seigneur archevêque a promis en outre qu'il conduirait
personnellement tous ses clercs dans un pèlerinage soit à
Rome, soit à Tours. Lui-même poursuivra sa route jusqu'à Saint-
Jacques de Compostelle.

Absolution sacrilège

Opuscule VII *ou Livre de Gomorrhe*, c. 7
(PL 145, c. 167.)

Que les agissements diaboliques ne restent pas cachés, que
soit révélé, bien que j'en blêmisse, ce qui se trame en secret
dans les officines du démon ! Je ne souffrirai pas que demeure
cachée la pratique de ceux que corrompt le poison (la sodomie des clercs) ! Comme s'ils venaient à résipiscence et pour
que leur forfait ne soit point divulgué, ils se confessent les
uns aux autres ! Ils deviennent leurs propres juges ! Ils affec-
tent de s'accorder l'absolution, à charge de réciprocité ! Le
résultat en est que tout grands pécheurs qu'ils sont, leur visage
n'a nullement la pâleur que produit le jeûne, et leur corps ne

s'émacie pas. Leur estomac ne souffre d'aucune restriction et leur tempérament continue à s'enflammer honteusement de toute l'ardeur du vice qui leur est habituel. Loin de pleurer les fautes commises — c'est là le résultat — ils commettent des actes encore plus répréhensibles.

La loi a ordonné que le lépreux se montre aux prêtres : ici, ce n'est pas au prêtre mais à un autre lépreux qu'on se montre, quand un prêtre impur avoue à un autre, qui ne l'est pas moins, un forfait pratiqué en commun. La confession devrait être une révélation : que révèle, je vous le demande, celui qui raconte à l'autre ce qu'il sait déjà ? Comment peut-on appeler confession une parodie où le pénitent ne révèle rien qui ne soit connu déjà du confesseur ? Et le complice qui est lié par une impureté commise ensemble, de quel droit, en vertu de quoi pourrait-il lier ou délier l'autre ?

10. *LANFRANC, ARCHEVÊQUE DE CANTORBÉRY (VERS 1005-1089)*

Lanfranc quitte l'Italie (Pavie et Bologne), son pays natal, vers 1035 et ouvre une école à Avranches avant de se faire moine, à la suite d'un vœu émis en danger de mort, dans l'abbaye du Bec récemment fondée par Helluin. Comme archevêque de Canterbury, depuis 1070, il eut le mérite de faire sortir la chrétienté insulaire de son isolement et de l'insérer dans la vie spirituelle et religieuse de l'Église du continent. Nous n'avons pas ici à apprécier l'activité que déploya Lanfranc dans le domaine politique. Retenons qu'il fut l'un des premiers à traiter du secret de la confession. Il le fait en des termes qui nous font supposer que bien des confesseurs manquaient de la discrétion indispensable dans leur ministère. L'opuscule représente aussi l'un des premiers essais de synthèse théologique de la confession en tant qu'accusation des péchés.

Le triple mystère de la confession
Traité du secret de la confession (PL 150, c. 626-632.)

Le Seigneur, dans sa personne, a démontré qu'il y avait trois mystères dans la confession : d'abord, une réplique du baptême, ensuite deux consciences qui n'en forment plus qu'une seule et enfin la rencontre de Dieu et de l'homme dans un même jugement.

La confession est une réplique du baptême : celui qui se confesse renonce par la pénitence, et croit par la foi, comme celui qui est baptisé renonce (au démon) et croit. C'est pourquoi le Seigneur a reçu un témoignage identique de son Père lors de sa transfiguration et lors de son baptême, et il a été ajouté : « Écoutez-le (Matth. XVII, 6). » De celui dont Jean avait entendu dire : « C'est lui qui baptise (Jo. I, 33) », les disciples ont à leur tour entendu dire : « Écoutez-le », parce que celui qui baptise avec de l'eau est celui qui parle par le confesseur.

La confession est le mystère de deux consciences qui ne font plus qu'une : celle du pénitent et celle du confesseur, celle du juge et celle de l'accusé. C'est l'union que réclame le Fils de Dieu : « Pour que tous, ils soient un, comme vous mon Père vous êtes en moi et moi en vous (Jo. XVII, 21). »

La confession est le mystère de la rencontre de l'homme et de Dieu dans le même jugement : celui qui se juge soi-même a en effet déjà partie liée avec Dieu (cf. Augustin, Sur l'Évangile de Jean, Traité 12 vers la fin). Quand le larron sur la croix se fût écrié : « Nous avons reçu la récompense juste de nos actes (Luc XXIII, 41) », il s'est jugé soi-même devant le Seigneur, et il est au paradis avec le Seigneur.

De ces trois secrets, quiconque laisse passer volontairement la moindre indication dans le public et quiconque diffame ceux qui se confessent (en révélant leurs péchés) agissent comme des aveugles. De même, les pénitents qui, dans leur confession, révèlent le nom de leur complice, et les confesseurs qui, à l'occasion de l'aveu, s'informent sur les actes d'autrui.

La confession est une réplique du baptême, nous l'avons dit.

Or, nous sommes baptisés parce que nous renonçons au péché et non parce que nous diffamons autrui.

Secret de la confession

Celui qui trahit les secrets de la confession viole les trois mystères de la confession : il ne croit pas que dans la confession le pénitent est baptisé et il détruit ce second baptême, à savoir la confession, pour autant qu'il dépend de lui ; il ne maintient pas l'unité des consciences et ne craint pas que Dieu participe à son jugement.

Indiscrétion de certains confesseurs

Si le pécheur qui se confesse continue à pécher, et même s'il est anathème, son confesseur le supportera jusqu'à la fin, malgré tout, comme le Seigneur a supporté Judas. Que le confesseur n'exerce sa vengeance, ni directement ni indirectement, contre les pénitents qui lui ont été dénoncés — par la malice ou par la naïveté de tiers — de peur de violer le secret de la confession. Il y a en effet des gens qui pensent ne pas obtenir le pardon s'ils ne révèlent pas le nom de leurs complices.

Il y a des confesseurs qui, avec une curiosité malsaine, au moment de la confession, recherchent ce que d'autres peuvent avoir commis. Le procédé nous paraît détestable, car selon le pape Grégoire (cf. *Commentaire sur Job* V, 3, verset 40) la curiosité en cette matière est un très grand vice. Il faut avoir en abomination ceux qui dénoncent des tiers dans la confession et, de même, les confesseurs qui violent de quelque manière que ce soit les propos rapportés en confession ou qui demandent le nom des complices.

Les fautes publiques doivent être confessées
aux prêtres, les fautes occultes
à n'importe quel clerc

Quoi qu'il en soit, voyons maintenant à qui il faut se confesser. Évitons d'abord les gens dont nous venons de parler car, si l'on se réfère à la première lettre de Jean (cf. 1 Jo. II, 2), ce sont des antichrists. Exception faite de cette catégorie, nous voyons que c'est aux prêtres que dans l'Ancien Testament on vient montrer sa lèpre (cf. Lev. XIII, 49). Les lévites portent, montent et démontent le tabernacle de l'Alliance ; ils séparent les tentes des Juifs de la ténte de l'Alliance, pour que l'on ne s'approche pas indûment du tabernacle et qu'on n'en meure (cf. Nb. I, 50-53). Le tabernacle de l'Alliance est le corps du Médiateur de Dieu et des hommes, que les lévites isolent du peuple, en enseignant pour quels péchés il convenait de s'écarter de la table du Seigneur.

Des sous-diacres il est dit : « Purifiez-vous, vous qui portez les vases du Seigneur (Is. LII, 11). » Les vases signifient les cœurs. C'est pourquoi il est dit dans l'Évangile : « Les sages prirent de l'huile dans leurs vases avec leurs lampes (Matth. XXV, 4). » Les sous-diacres lavent les vases du Seigneur, quand ils purifient les consciences. Les acolytes allument les lumières dans l'église. Le rôle des exorcistes est de chasser les démons du corps des possédés. Le rôle des lecteurs est de lire la Parole de Dieu. L'office des portiers est d'ouvrir les portes de l'église. Si l'on y regarde de près, tout ces actes extérieurs procurent, invisiblement, la purification des cœurs. C'est pourquoi Augustin, dans son sixième Traité sur l'épître de Jean l'évangéliste, dit du baptême : L'eau du sacrement est visible, l'eau de l'Esprit est invisible ; celle-là purifie le corps et montre ce qui se passe dans l'âme. Les signes visibles opèrent et signifient les choses invisibles. Par là nous apprenons qu'il faut nous confesser de nos péchés secrets aux clercs de tous les ordres. Quant aux fautes publiques, c'est aux seuls prêtres qu'il convient de les confesser, par qui l'Église lie et délie les actes qu'elle connaît en raison de leur publicité.

La confession aux laïcs

Et si tu ne trouves pas de clerc, de quelque degré qu'il soit, pour te confesser, choisis un homme honnête où que tu le trouves, comme il a été dit dans l'Ancien Testament : « Un homme pur prendra de l'hysope (Nb. 19, 14-19 rapporté en entier dans Lanfranc). » Il serait trop long de recueillir toutes les allusions à propos de la confession aux laïcs. Il suffit de remarquer qu'un homme pur peut purifier un homme coupable, en l'absence de tout clerc. Nous lisons que certains Pères ont dirigé les âmes et cependant il n'est pas dit qu'ils étaient dans les ordres.

La confession faite à Dieu

Et si l'on ne trouve personne à qui se confesser, il ne faut cependant pas désespérer, car les Pères s'accordent pour dire qu'il suffit de se confesser à Dieu (Textes tirés de Jean Chrysostome, *Hom. 2 sur le psaume 50*, verset 5 ; du même, *Hom. 31 sur la Lettre aux Hébreux*, chap. 12 ; Jean Cassien, *Collation* [Entretien] XX, 8 ; Maxime, *Sermon pascal* = Ambroise, *Commentaire sur Luc* X, 96 ?)

Il convient que les prêtres ordinaires, mais principalement les prélats, évitent soigneusement de stigmatiser en public, sous un autre nom, le péché qui leur a été avoué en secret. C'est pourquoi, sous le sceau de l'Évangile, quand le Fils de Dieu dit : « Qu'ils soient un comme toi, Père tu es en moi et moi en toi (Jo. XVII, 21) », il a gardé un silence rigoureux sur le nom de l'Esprit-Saint, alors que Père, Fils et Esprit-Saint sont un. La personne du pénitent ne doit pas être révélée à une tierce personne, ni être diffamée en raison d'une autre faute, mais être confiée en secret à l'Esprit-Saint.

J'évite même de parler de ce qui m'a été dit en confession, car l'Évangile déclare à propos de ce que nous voyons et apprenons : « Si ton frère a péché contre toi, va et reprends-le entre toi et lui seul (Matth. XVIII, 15). »

11

11. *ANONYME DU XII* SIÈCLE

Lettre à une religieuse sur la vraie et la fausse pénitence
(PL 40, 1113-1130)

La lettre anonyme à une religieuse sur la vraie et la fausse
pénitence est certainement antérieure à la renaissance grégorienne et appartient vraisemblablement à la fin du X° siècle ou
aux premières décennies du XI° siècle. Placée sous le patronage
usurpé de saint Augustin, notre lettre a bénéficié durant tout
le Moyen Age d'une diffusion et d'un crédit considérables. Il
n'est pas exagéré de dire que la lettre contribua d'une manière
décisive à transformer le système de la pénitence tarifée et à
faire naître l'usage nouveau.

La lettre sur la vraie et la fausse pénitence est le seul traité,
et le premier du genre, qui nous soit connu avant les préscolas-
tiques. Nous y trouvons réunies les caractéristiques de la pénitence médiévale telles qu'elles apparaissent sporadiquement chez
les témoins de la même période. L'on peut résumer notre lettre
comme suit :

1) L'expiation, si elle doit être publique, c'est-à-dire si la faute
est publique et a causé du scandale, devra se faire devant la communauté chrétienne tout entière.

2) L'aveu n'est qu'un **moyen** en vue de la taxation expiatoire,
mais un moyen indispensable. En cas d'impossibilité absolue seulement, le regret et la contrition suffisent pour l'obtention du
pardon des péchés.

3) Dans tous les cas l'expiation devra précéder l'absolution.

4) L'acte absolutoire est déclaratif en ce sens que le prêtre
constate et garantit officiellement que l'expiation étant accomplie
la rémission des péchés est obtenue.

Ajoutons que notre Lettre anonyme a passé presque en entier
dann le **Décret** de Gratien et dans les **Sentences** de Pierre Lom-
bard ; c'est une preuve manifeste de l'autorité dont jouissait
l'opuscule.

La foi est le fondement de toute pénitence

1. Je livrerai à ta piété, vierge très prudente, ce que je pense de la pénitence, en me couvrant de l'autorité des Pères et avec l'assistance du Saint-Esprit. Ce n'est pas tellement les erreurs modernes que nous combattrons ; nous nous efforcerons, par notre argumentation, de te procurer douceur et tendresse. Que ton âme pure, laquelle, grâce à Dieu, a rejeté l'erreur, se réjouisse en songeant à ce qu'elle a quitté.

2. Si la foi est le fondement de toute pénitence — foi en dehors de laquelle rien de bien n'existe — il faut tendre à une pénitence ancrée dans la foi. En effet, un bon arbre ne saurait produire de mauvais fruits (Matth. VII, 18). La pénitence qui ne procède pas de la foi n'est d'aucune utilité.

La pénitence est efficace pour les péchés commis après le baptême

Ils se trompent ceux qui opposent la pénitence à ce qu'a dit l'apôtre Paul et lui retournent ironiquement son affirmation : Nous pécherons donc pour que la grâce abonde davantage (cf. Rom. VI, 1) ? Or, l'apôtre a dit : Convertissez-vous par la pénitence, espérez le pardon, même si votre iniquité est grande, car là où a abondé le péché, la grâce a surabondé (Rom. V, 20). Aucun péché ne peut subsister devant l'action de la grâce. L'apôtre prêche la conversion. Mais comment quelqu'un se convertirait-il si son premier état (de pécheur) lui plaisait ? Celui qui se convertit regrette nécessairement de posséder ce qu'il se réjouirait de perdre. La pénitence procure l'indulgence sans laquelle personne ne saurait arriver au pardon. Si l'âme pouvait se sauver sans pénitence, on ne dirait pas : Tu as péché, arrête-toi. Pourquoi en effet s'arrêter, si pécher n'est pas un mal ? Comment véritablement aimer, sans haïr le mal qui fait notre malheur — si nous y restons attachés — mais qui fait notre salut si nous l'écartons de nous ? (Exemple de Job VII, 20.)

Certains croient que la pénitence est efficace (pour les fautes commises) avant le baptême (exemple de Naaman le Syrien guéri de sa lèpre après un bain ; cf. 2 Rois v, 14), mais qu'elle est vaine pour ceux qui pèchent ensuite. Ils se réjouissent de cette constatation avec arrogance, et s'imaginent être purs, comme s'ils n'avaient plus rien commis après le baptême dont ils dussent à bon droit se repentir. Les gens de cette sorte comprennent tout de travers ; ils tirent leurs arguments d'une situation propre aux saints, et à la suite du (diable) père du mensonge, ils expriment faussement ce qui est exact. Chez l'apôtre, ils lisent un texte qu'ils ne veulent pas comprendre : « Il est impossible pour ceux qui ont été une fois éclairés, qui ont goûté le don céleste, qui ont eu part au Saint-Esprit, qui ont goûté la douceur de la parole de Dieu et les merveilles du monde à venir, et qui pourtant sont tombés, de les renouveler une seconde fois en les amenant à la pénitence, eux qui, pour leur part, crucifient de nouveau le Fils de Dieu et le livrent à l'ignominie (Hebr. VI, 4-6). » Si l'orgueil ne les aveuglait pas, ils comprendraient que l'apôtre ne saurait détruire son travail, ni les motifs de sa joie. Or, qui reprend-il dans toutes ses lettres, si ce n'est ceux qui sont tombés après le baptême et qui demeurent dans leur péché ?

L'apôtre a écrit ces mots du baptême. Selon ses paroles, il est impossible d'être purifié par la pénitence et de crucifier à nouveau le fils de Dieu ce qui veut dire : il est impossible d'être *baptisé* une nouvelle fois. Celui qui est baptisé figure (représente), dans l'immersion, la croix et la mort du Christ (cf. Rom. VI, 3) ; l'immersion, en effet, se fait par le signe de la croix et le fidèle immergé figure le Christ enseveli. Ceux qui sont tombés après cette immersion ne peuvent plus recevoir le pardon par un nouveau baptême de l'eau. Comme le Christ n'a été crucifié qu'une fois, de même l'on ne saurait être baptisé qu'une fois. Par sa mort, il a racheté tous les hommes et n'a donc plus besoin de mourir de nouveau. L'Église, devant ce fait, a compris qu'il ne fallait pas réitérer le baptême.

Il n'y a pas de péchés irrémissibles

Il y a encore une autre sorte de gens qui déclarent : il ne saurait y avoir de rémission des péchés par la pénitence, pour ceux qui sont baptisés, car, disent-ils, les péchés commis contre le Père et le Fils peuvent être remis, mais non ceux qui sont commis contre l'Esprit-Saint. Et ils font la distinction suivante : pécher contre le Père et contre le Fils est le propre des païens, lesquels obtiennent la rémission de ces péchés par le baptême. Ces païens, en effet, ne sauraient pécher contre l'Esprit qu'ils n'ont pas encore reçu. Ce sont les fidèles baptisés qui pèchent contre l'Esprit qu'ils ont reçu au baptême : ils n'ont pas su garder les dons de l'Esprit et ont choisi le poison du diable. En conséquence, estiment nos gens, les baptisés ne sauraient obtenir, ni maintenant, ni à l'avenir, de miséricorde (cf. Matth. xii, 32). Or, c'est là une manière erronée de comprendre, et non inspirée par la foi.

L'on met en avant, comme objection, une parole de saint Jean : « Il y a un péché qui conduit à la mort ; ce n'est point pour ce péché-là que je dis de prier (1 Jo. v, 16) », comme s'il fallait prier pour les péchés commis avant le baptême, et non pour les autres. Ces gens se trompent, car il se contredirait lui-même celui qui a recommandé de faire pénitence à l'Église de Pergame (cf. Apoc. ii, 16). Il y a, en effet, des péchés véniels qui sont effacés par la prière du Seigneur, chaque jour, quand nous disons : « Remets-nous nos péchés (cf. Matth. vi, 12) », et ces péchés-là ne sont pas mortels. Mais d'autres péchés, mortels ceux-là, ne sont pas lavés de la sorte, mais par les effets de la pénitence.

La pénitence est réitérable

5. Certaines gens, perfidement, reviennent à la charge — des gens qui en savent plus long qu'il ne convient et ne pensent pas sainement, mais de travers ! Voici donc leur propos : même si la pénitence est utile *une fois* à ceux qui pèchent

après le baptême, cette même pénitence, si elle est réitérée, ne sert de rien à ceux qui pèchent souvent. Autrement, disent-ils, la rémission des péchés (obtenue dans la pénitence) serait un encouragement à pécher encore. Ils disent : qui donc ne pécherait pas continuellement, s'il peut toujours revenir ? Dieu pousserait ainsi au péché, s'il pardonnait continuellement aux pénitents, et les péchés lui plairaient pour lesquels il tient toujours prête sa grâce. Ces gens-là se trompent, car, au contraire, Dieu a horreur des péchés, puisqu'il est toujours prêt à les effacer. S'il aimait les péchés, il ne les détruirait pas ainsi, mais les conserverait et les chérirait, comme ses dons.

La pénitence est accessible même aux clercs

Même le prêtre qui a péché ne devra pas désespérer, bien qu'il soit écrit : « Qui priera pour lui ? 1 Rois II, 25). » Qui priera pour lui ? Mais toute l'Église, un autre prêtre (son confesseur), tout l'ordre des saints et le Christ lui-même qui pour nous s'offre à Dieu. Que le prêtre cependant prenne garde de ne pas tomber facilement ; la peine sera plus sévère pour lui. Qu'il se dise bien ceci : si le peuple, privé de la Parole de Dieu, pèche, il me faut porter une partie du poids (de ses péchés), car je ne me permettrais pas de lui imposer une charge insupportable, sans remuer moi-même le petit doigt (cf. Matth. XXIII, 4). Mais si moi-même je pèche, que ferai-je ? Je ne m'en tirerai pas si facilement, il me faudra pleurer ma misère. Il n'en va pas de moi comme du peuple qui m'est soumis. Que le prêtre redoute donc de pécher ; qu'il redoute cependant davantage de tomber dans le désespoir.

Pas de pardon sans pénitence

6. D'autres, libres de tout désespoir et pleins de présomption, s'attribuent une sorte de licence de pécher et attendent un pardon sans pénitence. Puisqu'ils sont chrétiens, pensent-ils, ils ne sauraient être damnés et se bercent avec la parole de l'Écriture : « Quiconque invoquera le nom du Seigneur sera

sauvé (Joël II, 32, Vulgate). » Ils pensent ainsi invoquer le nom du Seigneur, puisqu'ils croient dans le Christ, et recevoir les sacrements de l'Église. Ils ne songent pas avec terreur que beaucoup sont appelés, mais peu sont élus (cf. Matth. XX, 16). Tous les chrétiens, à leur avis, constituent un *petit nombre* en comparaison avec la foule des païens et des juifs et, par conséquent, même si tous les croyants sont sauvés, leur nombre sera toujours minime.

7. Rapportons encore une erreur impie, semblable à celle que nous venons d'exposer, mais dans un sens contraire. Il faut désespérer de la miséricorde divine, pensent certains ; ils nient sa justice, et affirment en blasphémant que Dieu est injuste, lui qui ne rend pas le mal aux méchants, mais laisse grandir leur iniquité. Je m'étonne de ce que ces gens ne croient pas plutôt l'apôtre qui dit : « L'espoir ne sera pas confondu (Rom. V, 5).

Baptême et pénitence

8. La pénitence est donc efficace et féconde, elle ne laisse personne sans pardon et ressuscite les morts. Dissertons un peu des différentes variétés qu'elle peut revêtir. A ceux qui vont être baptisés, la pénitence n'est pas nécessaire, mais bien à ceux qui sont baptisés, que leurs fautes soient graves ou qu'elles soient légères. Dans le baptême et par la foi, l'Église ne remet que le péché originel : la damnation nous est venue par la faute de notre premier père, la rémission nous arrive par notre mère l'Église. A celui, au contraire, qui a péché personnellement, le pardon arrive par l'Église et par sa propre repentance. Le baptême rend l'homme pur et nouveau, sans rien en lui qui puisse offenser Dieu. Mais le baptême ne sert à rien pour celui qui a péché personnellement.

Pénitence vaine et pénitence féconde

9. Toute pénitence cependant n'est pas bonne ; disons donc ce qui sépare la vraie pénitence de celle qui ne l'est pas, la

pénitence vaine de celle qui est féconde. Il y a des fidèles qui regrettent d'avoir péché à cause des peines actuelles. Les crimes déplaisent au brigand, quand le moment est venu de les expier ! Que s'arrête la coercition, et le voilà revenu à ses forfaits. Cette pénitence-là ne procède ni de la foi ni de la charité ou d'un esprit catholique : elle demeure stérile et ne procure pas le pardon. Elle ne purifie pas la conscience et n'efface pas les péchés... la pénitence n'est profitable que si elle est gratuite.

Pas de pardon sans repentir complet

Certains pécheurs se repentent d'avoir péché, mais pas complètement. Ils se réservent un domaine où ils continuent à se complaire et oublient que le Seigneur a libéré du démon celui qui était sourd *et* muet (cf. Matth. XII, 22) : par où nous apprenons que nous serons guéris complètement ou pas du tout. S'il était possible de cultiver certains péchés, et non les autres, le Seigneur aurait pu venir en aide à l'homme possédé de sept démons, en expulsant seulement six d'entre eux. Mais il les a expulsés tous les sept, afin de nous apprendre que les péchés doivent être rejetés tous.

L'accusation des fautes sera personnelle

10. Celui qui se repent se repentira tout à fait et prouvera son repentir par ses larmes ; il révélera sa vie entière à Dieu par le ministère du prêtre et préviendra le jugement divin par sa confession. A ceux qu'il allait purifier, le Seigneur a ordonné de se montrer aux prêtres (cf. Luc XVII, 14). Il nous enseigne par là qu'il faut confesser ses péchés personnellement et non par l'intermédiaire d'une tierce personne ou par écrit. Le Seigneur a dit en effet : Montrez-vous chacun — et non un seul à la place de tous. Ne prenez pas de délégué qui offre pour vous l'offrande prévue par Moïse (cf. Lev. XIV, 2). Vous avez péché par vous-même, ayez honte vous-même.

La honte inhérente à l'aveu opère par elle-même une grande partie de la rémission. C'est par bonté que le Seigneur a commandé que l'on ne se contente pas de faire pénitence tout seul. Par l'accusation faite en personne au prêtre, par la victoire que le pécheur remporte sur la honte qu'il éprouve, par la crainte qu'il ressent de la colère de Dieu, le pardon s'opère. L'aveu des fautes rend véniel ce qui était faute capitale et, même si le péché n'est pas immédiatement effacé, il devient de peu d'importance. Le pécheur qui, dominant sa honte, ne cache rien au représentant de Dieu de ce qu'il a fait, a déjà accompli une grande partie de son expiation.

L'accusation faite à plusieurs confesseurs

Parce que la honte est par elle-même une grande punition, celui qui a honte pour plaire au Christ devient digne du pardon. Il s'ensuit que si le pécheur se confesse à plusieurs prêtres, il obtiendra d'autant plus facilement la rémission de ses péchés. Plusieurs confesseurs peuvent davantage pour le pécheur et sont plus puissants pour venir au secours de ceux qui avouent. Dieu remet les péchés à ceux à qui les confesseurs les remettent. Lazare déjà rendu à la vie a été envoyé par le Seigneur à ses apôtres pour qu'ils le délient de ses bandelettes (cf. Jo. XI, 44) ; c'est la preuve du pouvoir de délier qui est accordé aux prêtres. Le Seigneur a dit en effet : « Ce que vous délierez sur terre sera délié au ciel (Matth. XVIII, 18). »

Puissance de l'aveu des fautes

La puissance de l'aveu est telle que, s'il n'y a pas de prêtre sur place, le pécheur se confessera à un laïc. Il arrive souvent que le pécheur ne peut pas témoigner combien il a honte en se confessant à un *prêtre*, que le temps ou le lieu ne lui permettent pas de faire venir. Même si le laïc n'a pas le pouvoir de délier, le pécheur devient cependant digne du pardon, s'il se confesse à son compagnon, car il avait eu le désir de s'adresser à un

prêtre. Les lépreux furent guéris *pendant* qu'ils allaient se
montrer aux prêtres et *avant* qu'ils les aient rejoints (cf. Luc
XVII, 14). D'où il résulte que Dieu regarde l'intention,
quand les circonstances empêchent le pécheur d'aller trouver
un prêtre. Il arrive souvent que l'on se rende auprès du
confesseur, en bonne santé et tout heureux, et en route, avant
d'arriver, l'on meurt. Mais la miséricorde de Dieu est partout
et elle est acquise aux pécheurs sincères, même si elle ne se manifeste pas aussi rapidement que par l'absolution sacerdotale.
Et quand l'on se confesse à un prêtre, que ce soit au meilleur
que l'on puisse trouver.

Péchés graves occultes et péchés graves publics

11. Dans le cas où le péché est demeuré secret, il suffit de
le dévoiler au prêtre pour obtenir la grâce de présenter son
offrande (de prendre part à l'eucharistie). En effet, lors de la
résurrection de la fille du prince (Jaïre), peu ont assisté au
miracle (cf. Luc VIII, 41). La jeune fille n'était pas encore
enterrée, ni portée hors de la ville, ni même hors de la maison.
Le Christ a ressuscité en secret celle qu'il avait trouvée retirée
chez elle, en la seule présence de Pierre, Jean et Jacques et
des parents de la jeune fille (cf. Luc VIII, 51) — par où sont
figurés les prêtres de l'Église. Quant à ceux que le Christ
a ressuscités hors de leur domicile, comment a-t-il procédé ? Une
foule a pleuré le fils de la veuve (Luc VII, 12) ; Marthe et
Marie ont intercédé pour leur frère et la foule pleurait (cf.
Jo. XI, 39). Nous apprenons par là qu'aux pécheurs dont les
fautes sont publiques, leur *propre* expiation est insuffisante ; il
faut l'aide de l'Église tout entière. Que le pécheur donc s'étende
par terre comme s'il était mort, qu'il proclame en public
qu'il est mort, qu'il montre en public les fruits de sa pénitence,
pour que la foule pleure sur lui et montre combien elle a de
souffrance.

Le pécheur qui donne du scandale devra réparer ses péchés
par une expiation publique ; ainsi la communauté chrétienne,
scandalisée par les péchés, se laissera fléchir en voyant la

conversion, et priera pour celui qu'elle pleurait quand il était mort. Par là Dieu sera incité à pardonner, lui qui le premier a eu pitié.

12. Le pécheur qui fait pénitence s'efforcera de demeurer dans l'Église et de tendre à l'union avec l'Église. Si l'Église ne lui vient pas en aide et ne supplée pas à ce qui lui manque, l'âme du pécheur, morte par le péché, ne sera pas sauvée des mains de l'ennemi. Car c'est un article de foi et un acte de piété tout à la fois : les aumônes de toute l'Église, les prières, les bonnes œuvres viennent au secours du pécheur qui reconnaît sa mort spirituelle et proclame qu'il va se convertir. C'est pourquoi personne ne peut faire convenablement pénitence si l'Église, qui est une, ne le soutient pas. C'est aussi pourquoi il ne faut pas aller trouver des confesseurs qui, en raison d'une faute quelconque, sont séparés de l'Église. Judas, pris de remords, alla trouver les pharisiens et abandonna les apôtres : sa démarche, loin de lui procurer le moindre secours, n'a fait qu'augmenter son désespoir. Les pharisiens lui dirent en effet : « Peu nous importe ; c'est ton affaire (Matth. XXVII, 4). »

L'accusation des fautes sera circonstanciée

14. Le pécheur décrira à son confesseur la nature exacte de sa faute, le lieu, le temps, la fréquence, la qualité des complices, le genre de la tentation à laquelle il a succombé et la manière dont il a commis le péché. Celui qui a commis le crime de fornication fera pénitence suivant son état social, sa fonction ou son office, et suivant que sa complice a été une prostituée ou non ; il décrira ensuite comment il a accompli l'acte de fornication. L'acte a-t-il été commis dans un lieu consacré ou dans un endroit vénérable, telle que la maison du maître ? A-t-il eu lieu pendant le temps normalement consacré à la prière, ou lors des anniversaires des saints, ou pendant un temps de jeûne ? Le pécheur dira aussi s'il a l'habitude de commettre tel péché — pour en éprouver du remords — et comment la tentation a réussi à le faire succomber. Certains pécheurs, en

effet, ne succombent pas seulement aux tentations ; ils vont
au-devant du péché. Ils n'attendent pas d'être tentés, ils médi-
tent à l'avance comment ils pourront le mieux pécher. Toutes
les circonstances doivent donc être confessées et faire objet
de remords. Le pécheur, qui aura reconnu combien son péché
comporte d'aspects divers, trouvera rapidement un Dieu miséricordieux.

Pas d'aveu fragmenté

15. Le pécheur prendra bien garde de « morceler » sa
confession en raison de la honte qu'il ressent, et d'avouer à
divers confesseurs une partie seulement de ses péchés.
Certains pénitents cachent à l'un de leurs confesseurs ce qu'ils
révèlent à un autre ! Ce n'est là pas autre chose que de se louer
soi-même ; c'est faire l'hypocrite et se priver à jamais de pardon.

La pénitence sur le lit de mort

17. Que nul n'attende, pour se confesser, le moment où il
lui est devenu impossible de pécher. La pénitence reçue à
l'article de la mort libère et guérit quand il s'agit du *baptême* ;
ceux qui sont baptisés au moment de mourir ne feront même
pas de purgatoire. Dotés des biens de notre sainte mère
l'Église, ils recevront la véritable béatitude. Il n'en va pas de
même pour les pécheurs qui ont négligé de faire pénitence
quand ils le pouvaient encore et qui attendent le dernier instant où, par la force des choses, ils ne peuvent plus pécher.
Cette conversion se produit-elle *in extremis*, il ne faut pas
désespérer pour autant de la rémission des péchés. Mais parce
qu'une telle conversion ne se rencontre pratiquement pas,
ou alors très rarement, tout est à craindre pour un pécheur
qui se convertit si tard. Quand la maladie ne laisse plus de
répit, quand le châtiment se fait menaçant, rarement l'on
arrive à la vraie satisfaction — surtout quand les enfants,

que le moribond a trop aimés, sont présents et que l'appellent encore sa femme et le monde ! Une pénitence tardive a déjà leurré bien des pécheurs.

18. Au pécheur converti qui a recouvré la vie spirituelle et qui a évité la mort de l'âme, nous ne promettons pas pour autant qu'il échappera à toute peine. D'abord il sera purifié dans le feu du purgatoire. Ce feu, sans être éternel, est cependant terrible : il dépasse tous les tourments qu'un homme a jamais éprouvés en cette vie.

Qualités du confesseur

20. Quant au confesseur auquel le pécheur aura recours et devant qui s'étale toute maladie spirituelle, qu'il ne commette aucun des crimes qu'il est amené à juger chez autrui. Celui qui juge autrui, alors que lui-même mérite d'être jugé, se condamne à coup sûr.

Que le juge spirituel ne se rende donc pas coupable du mal qu'il doit juger chez les autres, mais qu'il ne manque pas non plus de la science nécessaire. Qu'il s'enquière des péchés avec diligence, scrute les âmes avec finesse, interroge savamment, voire avec ruse, le pécheur qui peut-être ignore lui-même ses actes ou voudrait les cacher par honte. Une fois le péché découvert, que le confesseur ne laisse pas d'en scruter les circonstances, le lieu, le temps, et les autres précisions dont nous avons parlé plus haut. Une fois en possession de tous les détails, le confesseur se montrera bienveillant et disposé à relever le pécheur et à partager avec lui le poids de sa faute. Il témoignera de la bonté et de la compassion pour les péchés commis et fera preuve de délicatesse dans l'interrogatoire. Il aidera le pénitent par ses prières, ses aumônes et toutes autres bonnes œuvres.

Voilà ce que nous voulions te dire au sujet de la vraie pénitence, vierge très prudente, à toi qui es préoccupée de vérité et désireuse de certitude.

12. RAOUL L'ARDENT † (VERS 1195-1200)

Nous citons un extrait d'une homélie — parmi les deux cents qui nous sont conservées — de maître Raoul de Paris parce que nous y trouvons pour la première fois une allusion très nette à la formule d'absolution maintenant traditionnelle : **Ego te absolvo.** Jusqu'au XIᵉ siècle, comme on sait, les formules absolutoires sont déclaratives et quand le confesseur s'y nomme, il le fait pour mettre en évidence sa qualité de ministre indigne qui lui-même a besoin de la miséricorde de Dieu.

L'usage « moderne » de la confession définitivement au point

Homélie 64 à l'occasion de la Litanie Majeure (Pl 155, 1899-1902.)

« Confessez vos péchés les uns aux autres afin d'être sauvés (Jacques v, 16). » L'apôtre, dans ce texte, nous donne trois bons conseils, mes frères : le conseil d'accuser nos fautes réciproquement, de prier les uns pour les autres, de nous corriger les uns les autres. Ces trois recommandations sont en grand honneur devant Dieu et nous sont fort nécessaires.

La confession, en effet, est indispensable pour nous personnellement, la prière et la correction fraternelle nous sert aux uns et aux autres. Par la confession faite aux autres, nous nous purifions de nos fautes, par la prière fraternelle nous nous aidons mutuellement, enfin par la correction fraternelle nous nous gagnons les uns les autres pour Dieu.

Réfléchissez, mes frères, à ce qu'est la confession, pourquoi on dit qu'elle est nécessaire, à qui il faut la faire, quand et comment. La confession consiste à énumérer avec regret la liste de nos propres péchés. Elle doit se faire avec des sentiments de remords, car celui qui se vante de ses péchés ou s'en délecte en les énumérant, loin de les guérir les augmente. Je dis cela,

mes frères, pour ceux qui viennent raconter les fautes, non en
les regrettant, mais en y mettant de l'ironie. Ceux-ci ne confessent pas leurs péchés, mais s'en font gloire ! La confession doit
être un acte de sincérité totale où intervient le cœur, la bouche
et nos actes. Le cœur regrette les fautes, la bouche les accuse,
par nos actes nous les expions. La confession nous est indispensable : par elle nos péchés nous sont remis, en dehors d'elle
pas de rémission. La confession nous remet les péchés, comme
nous le voyons par l'exemple de David. Ce grand roi fut
repris par le prophète Nathan, pour avoir commis l'adultère
avec Bethsabée, et avoir tué le mari de celle-ci. Le prophète
lui raconta la parabole du riche propriétaire qui possédait
cent brebis et qui, malgré sa richesse, s'était emparé de l'unique petite brebis de son pauvre voisin. David, sans rougir, a
reconnu devant tous sa faute et s'écria : « J'ai péché contre
le Seigneur (2 Rois XII, 13) », à quoi le prophète répondit :
« Le Seigneur a enlevé ton péché » (*ibid.*). Voilà donc la
preuve qu'un seul aveu suffit à obtenir la miséricorde de
Dieu. Aussi David s'est-il écrié : « J'ai confessé mon iniquité
devant Dieu et toi tu m'as remis ma faute » (Ps. XXXI, 5).

Pour celui qui en a le temps, les péchés ne sont remis
qu'après la confession, comme il ressort d'une parole du prophète : « Dis d'abord tes péchés et ensuite tu seras justifié »
(Is. XLII, 26). De même le prophète a dit : « Si tu souhaites
le secours du médecin, montre-lui d'abord ta blessure. » (?)

La formule de l'absolution

A qui se confesser ? La confession des fautes graves doit se
faire au prêtre, et en détail, car lui seul a le pouvoir de lier et
de délier. C'est ainsi que dans l'ancienne Loi, les cas de lèpre
étaient soumis aux prêtres seuls. La confession des fautes véniel-
les peut se faire à autrui, à n'importe qui, même au plus humble,
car les péchés véniels ne séparent pas l'homme de Dieu, à
moins qu'elles ne s'accumulent d'une manière excessive. Ainsi
la gale et la dartre dans l'ancienne Loi étaient un motif pour
exclure du camp celui qui en était atteint. La confession faite

à autrui ne procure pas l'absolution des péchés ; nous sommes ici absous par l'humiliation de nous-mêmes et par les prières de nos frères. C'est pourquoi nous ne disons pas dans ce cas : « *Moi, je te remets tes péchés* » mais seulement : « Que le Dieu tout-puissant aie pitié de toi. »

Quand devons-nous nous confesser à autrui ? Chaque fois que nous avons péché. A la maison ,aux champs, sur les routes ,chaque fois que j'ai péché, je dois dire immédiatement à mon compagnon : « J'ai péché, prie, prie pour moi. » Si je suis seul, je me confesse à Dieu en disant : « Seigneur, j'ai péché, aie pitié de moi. » Principalement à la première heure du jour nous devons nous confesser des péchés commis durant la nuit, et à la prière du soir, des péchés commis durant le jour. Quand nous allons à la messe ou à tout autre sacrement — pour célébrer ou y participer — nous devons nous purifier par la confession. Une excellente image d'une confession de ce genre nous est fournie par le bassin d'airain que Moïse fit placer à l'entrée du tabernacle, pour que ceux qui venaient au sacrifice pussent s'y laver les mains.

Comment nous confesser ? Avec un cœur repentant, une attitude humble, en nous frappant la poitrine, en pleurant, en priant.

13. *CÉSAIRE, ABBÉ DE HEISTERBACH (VERS 1180-1240)*

Un saint religieux de la famille des Cisterciens nous fournit, sur le déclin du XIIᵉ siècle, des renseignements de premier ordre sur le fonctionnement de la pénitence au jour le jour.

Césaire est né vers 1180, vécut à Cologne dans les années 1188 à 1198, puis se retira comme moine à Heisterbach (à l'est de Cologne). Après avoir rempli les fonctions de maître des novices, il fut élu prieur du monastère cistercien et garda ce poste jusqu'à sa mort.

Dans le **Dialogue sur les miracles**, rédigé entre 1219 et 1223, une section entière est consacrée à l'accusation pénitentielle des péchés. Les **Dialogues,** de même que les **Huit livres sur les miracles** (avec lesquels il ne faut pas confondre les **Dialogues**), sont un recueil d'entretiens destiné à la formation et à l'édification des moines. Césaire s'y révèle un observateur attentif et impartial de la pratique journalière de la confession. Nous avons affaire à un conteur hors de pair qui écrit dans une langue colorée, concrète et teinte de naïveté, non sans cynisme — bien involontaire.

Il conviendrait de traduire intégralement tous les récits que nous fait Césaire. Tantôt il a été lui-même le témoin des faits qu'il rapporte, tantôt il répète ce qu'il a appris dans ses entretiens avec les prieurs des couvents voisins. Dans le Prologue, Césaire prend Dieu à témoin qu'il n'invente rien et nous n'avons aucune raison de ne pas le croire.

Pas de confession par écrit, en règle générale
Dialogue, III, 27 (Éd. J. STRANGE, Cologne, I, 1851, pp 144-145)

Le moine : Il ne semble pas qu'il suffise de s'accuser par écrit, car il est dit que c'est grâce à la bouche que la confession est salutaire (cf. Rom. x, 10). Mais une fois qu'on aura confessé oralement ses fautes, rien n'empêche ensuite de le faire par écrit, pour s'humilier davantage, tels certains pénitents et comme saint Augustin dans ses *Confessions.* Cependant je crois savoir qu'un étudiant de Paris, incapable de parler pour cause de maladie, a compensé cette incapacité en énumérant ses fautes par écrit.

Le novice : Pourquoi alors est-il dit dans la Vie de saint Jean Eleymon († 620) qu'une femme avait remis par écrit et sous scellé une liste de ses péchés que la honte l'empêchait de dire et avait reçu l'absolution ?

Le moine : On raconte la même chose de l'empereur Charlemagne, dans la Vie de saint Gilles. Mais l'exception confirme la règle. Sache que les confessions par écrit ne sont pas admises.

Le novice : Le pénitent doit-il citer le nom de son complice ?

Le moine : Jamais, car les pénitentiels l'interdisent.

Le novice : Et pourquoi donc ?

12

Le moine : Pour plusieurs raisons, et à cause des abus. Il se pourrait que le confesseur méprisât la personne qui a été complice ou bien fût tenté à son sujet.

Ne jamais dénoncer autrui en confession
Dialogues, III, 28 (Éd. J. STRANGE, I, pp. 145-146)

Il advint qu'un jeune homme tomba malade. Il se confessa un jour à son ami chanoine, bien que celui-ci ne fût pas encore prêtre, par nécessité. Il s'accusa entre autres qu'il avait embrassé une religieuse. Le chanoine lui demanda s'il avait eu des rapports intimes avec elle. Le jeune homme répondit que non, mais ajouta que la religieuse l'aurait vivement souhaité et le lui avait même fait savoir par des paroles non équivoques et finalement il dit le nom de la religieuse. Or, à partir de ce moment, le confesseur n'eut que du mépris pour la religieuse en question et ne réussit plus à lui marquer la même déférence et respect qu'auparavant.

Mais il y a d'autres dangers. Il se pourrait que naisse une haine durable entre le confesseur et la personne complice du pénitent.

Le novice : Par exemple ?

Le moine : Si, par exemple, le pénitent disait : Mon Père, j'ai péché avec votre fille, votre sœur ou votre épouse. J'imagine sans peine le trouble qui en résulterait.

Le novice : Veux-tu me conter un autre exemple ?

Dans certains cas exceptionnels,
il faut révéler le nom du complice
Dialogues, III, 29 (Éd. J. STRANGE, I, p. 146)

Un prêtre de la ville de Soest (près de Cologne) tenait une concubine. Un jeune homme se prit d'amour pour elle et ils péchèrent ensemble. Or, au début du Carême, le jeune homme vint confesser à son curé ce qu'il avait fait, et lui révéla le nom de sa complice. Le confesseur, entendant nommer sa concubine, en fut affecté à l'extrême et décida de guérir le jeune homme de son amour. Il le reprit durement, exagéra même la gravité de la faute et lui imposa une pénitence excessive. La rancœur était certainement déplacée ici. Pourquoi une monition aussi sévère, une pénitence aussi dure, sinon à cause de l'identité de la complice ? C'est Théodoric, moine à Soest, qui m'a rapporté ce fait ; il avait connu le curé et le jeune homme. Le pénitent ne doit donc pas trahir le nom de sa complice, tout en déclarant les circonstances aggravantes.

Le novice : Voudrais-tu me dire comment ?

Le moine : Cela peut se faire ainsi : Mon Père, j'ai péché avec la femme légitime, avec la concubine ou avec la fille ou la sœur d'un parent, d'un allié, d'un ami ou d'un ennemi, par ma faute, ou séduit par elle. Et ainsi pour les péchés charnels et pour les autres. La femme coupable se comportera de même. Mais il y a certains péchés qui pratiquement ne peuvent se décrire en confession sans que le confesseur devine quelle est la personne complice. Il ne faut pas alors prendre des égards.

Le novice : Si deux pécheurs conspirent contre leur supérieur et que l'un, pris de repentir, vient se confesser à ce même supérieur, doit-il trahir son complice, oui ou non ?

Le moine : Je ne sais trop. S'il ne révèle pas son complice, le supérieur court un danger de mort. S'il le dénonce, il naîtra peut-être une haine inexpiable chez le supérieur contre le conspirateur. Écoute à ce propos un cas fort instructif.

Bienfait spirituel pouvant résulter de la dénonciation du complice

Dialogues, III, 31 (Éd. J. STRANGE, I, p. 147)

Quand j'étais curé à l'église de Saint-André-Mineur à Cologne, un de mes paroissiens, homme fort honnête, entra un jour seul chez un de ses amis. Là il aperçut la femme de son ami, toute seule, penchée au balcon. Elle l'embrassa, lui fit perdre la tête et ils péchèrent ensemble. Peu après, je vis accourir cet homme, comme s'il avait absorbé un poison ; il but à l'antidote de la

confession, cracha son venin, reçut sa pénitence et ajouta : Mon
Père, je vais vous dire de qui il s'agit. C'est une dévergondée qui
a déjà séduit plusieurs autres et je suis sûr qu'elle ne viendra
jamais vous confesser ce qu'elle fait.

Arriva le temps de Carême. La femme en question, par habitude plus que par repentir, vint chez moi confesser des péchés
sans importance, mais resta muette sur sa conduite adultère.
Moi, de mon côté, je me souvenais très bien de son péché, mais
ne voulus ni lui faire honte ni trahir mon pénitent. Je lui dis :
« Madame, partez maintenant et revenez demain. Entre-temps,
dites 3 Pater pour que Dieu éclaire votre cœur et vous donne
la grâce de faire une confession sincère. » Elle s'en alla et revint
le lendemain, mais ne dit rien de plus et ne fit que répéter sa
confession de la veille. Je la renvoyai une seconde fois, de la
même manière. Cette fois elle eut des soupçons.

Elle revint le lendemain, en compagnie d'un clerc de sa
parenté et, en sa présence, se mit à s'écrier en me montrant du
doigt : « Voici ce monsieur qui me soupçonne d'adultère.
Mais j'irai trouver l'évêque et porterai plainte contre lui. » Je
me laissai injurier, mais restai calme et, seul avec elle, je lui dis
doucement : « Chère madame, pourquoi cacher vos péchés ?
N'avez-vous pas commis l'adultère en tel endroit, avec un tel ? »
A ces mots, elle comprit que j'étais au courant. Rentrée en
elle-même, elle dit humblement : « Mon Père, il est vrai que
j'ai péché avec un tel ; je suis prête à me confesser, à recevoir
ma pénitence et à vivre ensuite chastement. »

Et ainsi il arriva qu'une pécheresse s'en alla justifiée, par la
ruse d'un curé de paroisse. Si elle n'avait pas été dénoncée par
son complice, elle n'aurait probablement pas été pardonnée.

Le novice : S'il n'est pas permis au pénitent de révéler le
nom de son complice, sauf en certains cas, qu'en est-il du
confesseur ? A-t-il le droit, dans certains cas, de révéler les
péchés de ceux qui se confessent à lui et de divulguer le nom
de ses pénitents ?

Le moine : Il pourra, en de nombreux cas, dire les péchés
qu'il a appris par la confession, en taisant le nom des pécheurs.
Il ne doit dénoncer le pécheur que s'il s'agit du crime indiqué
par le pape Innocent III (il s'agit du moine qui célèbre l'eucharistie sans être prêtre).

Manière abusive d'absoudre les pénitents
Dialogues, III, 45 (Éd. J. STRANGE, I, p. 164)

Un curé de campagne — ainsi me le raconta son successeur — avait une curieuse habitude. Au moment du Carême, quand les paroissiens affluaient à l'église pour se confesser, il en conduisait six ou huit devant l'autel, leur imposait l'étole et leur lisait en langue vulgaire une liste de péchés que les paroissiens répétaient après lui mot pour mot. Tous recevaient la même pénitence et étaient renvoyés. Ainsi faisait notre curé avec tous, sans s'informer plus avant de la gravité des péchés que chacun avait commis, ou de leur nombre.

Le curé vint à mourir et voici que l'un de ses paroissiens, un homme âgé et versé dans les affaires de ce monde, envoya chercher le successeur, en réclamant le viatique. Il en était réduit, en effet, à la dernière extrémité. Le prêtre, en arrivant, lui dit : « Vous devez d'abord vous confesser. » A quoi le malade répondit : « Bien ! Faites-le pour moi. » Il était habitué à la manière du curé précédent. Le prêtre lui répéta l'ordre de se confesser et le moribond, qui s'énervait, lui dit : « Mon Père, jamais votre prédécesseur n'a agi avec moi de cette manière. »

Le prêtre continua à lui refuser la sainte communion. Alors, le moribond se mit à dire : « Je m'accuse d'avoir péché par adultère, vol, détournement de biens, homicide, parjure, et autres crimes. » Le confesseur lui dit : « Comment ? Vous avez fait tout cela ? » A quoi le mourant répondit : « A dire vrai, je n'ai rien fait du tout. » Il se confessait encore suivant la manière à laquelle de longue date il était habitué ! Rien ne put l'amener à accuser les péchés qu'il avait réellement commis. Quels confesseurs ! Quels docteurs étranges ! Quels directeurs de conscience ! Et d'où provient un tel laisser-aller, une telle sottise si ce n'est de l'ignorance des lois divines ?

Justification scripturaire de la confession
Dialogues, III, 1 (Éd. J. STRANGE, pp. 110-111)

Sans le propos de se confesser, toute contrition est vaine.
Voyons donc ce qu'est la confession, quelle est sa force et
quels en sont les fruits. Le novice : Puisque sans le propos de se
confesser la contrition est incomplète, il est nécessaire, surtout
pour nous les novices, de savoir qu'ils doivent confesser les
fautes commises après leur entrée en religion à leur Père abbé.
C'est ce que vous m'avez appris et c'est ce que j'ai fait.

Le moine : La confession est si efficace que même le simple
désir de se confesser, si les circonstances empêchent de le faire,
suffit pour la rémission des péchés. C'est pourquoi le psalmiste
dit : « Je reconnaîtrai devant Dieu mes iniquités et tu as remis
mon impiété (Ps. XXXI, 5). »

Le novice : Qu'est-ce donc que la confession ?

Le moine : Sache qu'il y en a trois sortes : la confession qui est
une action de grâces, la confession qui est une profession de
foi, et la confession des péchés. Le Sauveur a parlé de la confession au sens d'action de grâces en disant : « Je te bénis,
Père, Seigneur du ciel et de la terre (Matth. XI, 25). » De la
confession au sens d'acte de foi, l'apôtre dit : « La foi du
cœur obtient la justice et la confession des lèvres le salut »
(Rom. X, 10). La confession des péchés est citée par l'apôtre
Jacques : « Confessez vos péchés les uns aux autres pour que
vous soyez sauvés » (Jacques V, 16). Le commencement de
la justification est la confession des péchés. C'est ainsi qu'il
est écrit dans le livre des Macchabées : « Que Judas vous pré-
cède au combat (1 Mach. II, 66) » : Judas, c'est-à-dire la confession. Par l'accusation des péchés, la maladie secrète de l'âme
se découvre pour obtenir la guérison. La confession aura plusieurs qualités : volontaire, prompte, décente, réservée, générale ou particulière, individuelle, sincère, complète, discrète,
accusatrice, amère, soignée, méticuleuse, véridique, judicieuse,
joyeuse, fréquente. Je résume pour en venir aux exemples.

Le novice : l'Ancien Testament contient-il des témoignages
en faveur de la confession ?

Le moine : Je pense bien ; elle y est illustrée par des images fort éloquentes, elle y est recommandée par des sentences et prouvée par des exemples. Ainsi le lépreux est estimé pur ou impur suivant le jugement du prêtre. C'est pourquoi le Sauveur dit à l'un d'eux : « Va et montre-toi aux prêtres (Matth. VIII, 4). » Dans ces quatre mots, sont réunies, comme il me semble, les quatre principales qualités, à savoir qu'elle doit être prompte, sincère, complète et accomplie devant son propre curé. Ainsi le mot « Va » : la confession sera prompte et rapide. Les mots « Montre-toi » : la confession sera sincère et complète. Le mot « aux prêtres » : la confession se fera à son propre curé, et non à n'importe quel prêtre. Celui que la grâce de Jésus purifie intérieurement par la contrition devra se montrer au prêtre dans la confession. Ainsi l'époux dans le *Cantique des cantiques* dit, à la place du confesseur, au pécheur repentant : « Montre-moi ton visage — par la contrition du cœur — " parle-moi " — par la confession orale (Cant. II, 14). » Quoi de plus clair que cette figure ?

La confession est recommandée explicitement, comme en témoigne David qui dit : « Confessez le Seigneur, car il est bon » (Ps. CV, 1). De même : « Découvre ton chemin au Seigneur (Ps. XXXVI, 5) », sous-entendu, par la confession. Et Isaïe, dans la version des Septante : « Dis tes péchés pour être justifié (Is. XLIII, 26). »

La confession enfin est prouvée par les exemples. Ainsi David, à propos de son péché avec Bethsabée, dit à Nathan le prophète : « J'ai péché contre le Seigneur (2 Sa. XII, 13). »

Le novice : Je me demande laquelle des deux, de la contrition ou de la confession, a le plus d'efficacité.

Le moine : La contrition remet le péché, mais à une condition, à savoir que l'accusation suive. Si, en raison des circonstances, cette confession ne peut avoir lieu, le prêtre suprême y suppléera. La confession est le signe de la contrition.

La confession des péchés
sauve même la vie du pécheur
Dialogues, III, 3 (Éd. J. STRANGE, I, p. 113)

La femme d'un chevalier, que brûlait le feu de la passion, avait péché avec le propre serviteur du chevalier. L'adultère resta secret pendant un certain temps, mais finit par arriver aux oreilles du mari. Celui-ci, très affecté par la rumeur, mais ne voulant y croire entièrement, garda le silence. Il savait que, s'il faisait une enquête, la chose ne pouvait rester cachée longtemps. C'était un homme riche et vertueux, tandis que sa femme avait la réputation d'être paresseuse et déshonnête. Il préféra donc couvrir l'affaire encore mal établie, pour un certain temps du moins, plutôt que de ternir sa propre réputation, celle de son épouse et de leurs familles.

Entre-temps, on apprit que sur une ferme voisine vivait un possédé qui, sans prendre d'égards pour quiconque, révélait les péchés secrets de ceux qui venaient le voir. Le chevalier en fut informé aussi et espérait par ce possédé apprendre la vérité. Il prit avec lui son serviteur et se rendit à la ferme en question ; or, le serviteur ignorait la raison du voyage. Ils arrivèrent à une forêt, et le chevalier prit le chemin de la ferme où habitait le possédé. A ce moment, le serviteur prit peur, sachant qu'il laisserait sa vie si le possédé révélait son crime. Affolé et ne sachant quoi faire, il entendit un bûcheron dans le voisinage, qui fendait du bois. Et Dieu, qu'il priait instamment, éclaira son esprit. Il comprit que la confession était le remède suprême contre le danger qui le menaçait. Sous prétexte de satisfaire un besoin naturel, le serviteur s'écarta du chevalier et se rendit auprès du bûcheron. Il lui confessa son péché et reçut sa pénitence. Ensuite, il revint auprès de son maître, qui ne s'était aperçu de rien, et tous deux arrivèrent chez le possédé. Celui-ci considéra attentivement le serviteur adultère — mais qui était déjà justifié. Le chevalier dit : « Parle si tu sais quelque chose ! » Le possédé répondit : « Je savais bien des choses, mais je les ai oubliées. »

Ainsi, par la vertu de la confession, le serviteur échappa à
la mort et le chevalier fut délivré de ses doutes. Voilà donc ce
que peut la confession.

Cupidité d'un confesseur
Dialogues, III, 40 (Éd. J. STRANGE, I, p. 160)

Dans la ville de Soest du diocèse de Cologne, il y avait
un curé de paroisse, appelé Eginard, homme cultivé, mais
dépourvu de scrupules. Un de ses paroissiens vint le trouver,
durant le Carême, et confessa, entre autres, avoir eu des rapports conjugaux pendant ce temps sacré. Le confesseur le
reprit durement et lui remontra que le Carême était un temps
de prière, de jeûne, de continence et de charité ; il ajouta :
« Comme pénitence pour ton péché, je t'impose de me donner
dix-huit deniers pour dire autant de messes, afin de laver ton
crime d'incontinence. » Le pénitent promit de les lui donner.
Voici qu'après lui un autre paroissien vint se confesser. Le
curé l'interroge sur ses devoirs d'état et apprend ainsi qu'il
avait pratiqué la continence durant tout le Carême. Sur quoi
le confesseur de s'écrier : « Mais tu as très mal fait en ne t'ap-
prochant pas de ton épouse pendant une période si longue ! Ta
femme, en effet, aurait pu concevoir, chose que tu as empê-
chée par ta continence. » Le pénitent effrayé par ces paroles —
comme il arrive aux gens humbles — lui demanda quelle taxe
acquitter pour un tel méfait. Le confesseur lui répondit :« Tu
me donneras dix-huit deniers et moi, à raison d'une messe par denier, j'apaiserai la colère de Dieu ». Le pénitent promit de les
lui remettre sous peu.
Quelques jours plus tard, il arriva, par la volonté de Dieu,
que les deux hommes se rendirent au marché, chacun avec ses
marchandises. A cause du mauvais état du chemin, le char-
gement de l'un d'eux versa à terre. L'autre accourut pour aider
son compagnon. En colère, le premier s'écria : « Que le diable
paie notre curé, car c'est à cause de lui que je dois me donner
cette peine. » Interrogé pour quelle raison, il ajouta : « Je lui
ai confessé mon incontinence et lui m'a imposé une pénitence

qui m'oblige à vendre ma récolte avant terme pour lui remettre la somme. » Le second s'exclama : « Mais qu'entends-je ? Je lui ai confessé exactement le contraire et il m'a imposé exactement la même taxe ! C'est même pour cette raison que moi aussi je viens au marché. Nous sommes vraiment mal partagés avec notre confesseur. »

Ils vinrent à la ville et firent leur rapport au doyen et aux chanoines de Saint-Patrocle, à la confusion du curé. Si ce prêtre avait éprouvé tant soit peu de crainte du Seigneur, jamais il ne se serait laissé entraîner par son avarice, surtout pas à l'occasion de la confession. Le prêtre, dont nous avons parlé dans un précédent chapitre, n'a certes pas agi de même, lui qui a jeté après un pécheur impénitent l'argent que celui-ci voulait lui remettre.

IV

LES VOIX AUTORISÉES

Les textes relatifs à la pénitence tarifée s'accordent pour nous obliger d'admettre que la hiérarchie, en tant que telle, n'a eu aucune part, ni à l'élaboration, ni à la diffusion du nouvel usage.

Le système tarifé est né dans les monastères insulaires, sur l'initiative de moines ou de clercs qui ont transposé, à l'usage des fidèles, les coutumes monastiques de l'aveu des fautes. D'autre part, le principe de la composition légale (wergeld germanique), telle que la connaissent toutes les législations civiles de l'époque, a pu, par analogie, conduire à la taxation minutieuse des fautes qui caractérise le nouvel usage. Cependant composition légale du droit civil et taxation pénitentielle ne s'identifient et ne se confondent pas : le coupable condamné au versement du wergeld n'est pas absous pour autant, pas plus que celui qui a accompli son tarif pénitentiel n'est libéré des obligations civiles. Les deux usages évoluent parallèlement. Les initiateurs de la pénitence tarifée ont agi en dehors et en parfaite indépendance de la législation civile, et aussi indépendamment de l'ancienne institution pénitentielle — que la plupart d'entre eux semblent d'ailleurs avoir ignorée.

Si la hiérarchie n'a donc eu aucune part à la naissance et à la diffusion du système insulaire, elle s'est trouvée très tôt confrontée avec la nouvelle pratique et obligée de prendre position. C'est ce que firent, pour la première fois, les Pères réunis à Tolède en 589, et les évêques des Gaules à Chalon-sur-Saône vers les années 647/653.

Puis, le silence retombe pour un siècle, plus précisément jusqu'au Concile d'Austrasie, dit aussi premier Concile germanique, de l'année 742. Nous voyons par un article de cette assemblée qu'il existait déjà, à l'époque, des prêtres délégués officiellement dans les fonctions d'administrateurs de la pénitence tarifée. Depuis Clovis, les grands avaient pris l'habitude de se faire suivre de confesseurs particuliers.

Durant les longues années qui séparent les assemblées de Tolède et de Chalon de celle qui s'est réunie en Austrasie, la pénitence tarifée achève de s'implanter en Occident, où elle se substitue dans la vie pratique des fidèles à la pénitence antique.

Celle-ci, on le sait, ne survivait d'ailleurs plus que sous la forme atténuée de la réconciliation — non réitétable ! — des mourants.

Les conciles réformateurs carolingiens et les interventions de Charlemagne reprennent au début du IX° siècle la série des interventions officielles en matière pénitentielle. La confusion née de l'expansion quelque peu anarchique des livrets pénitentiels préoccupe à la fois les évêques et l'empereur. Nous trouvons l'écho de ces préoccupations dans la correspondance échangée entre Ebbon, évêque de Reims, et Halitgaire, archevêque de Cambrai (vers 830). Charlemagne, à plusieurs reprises, impose aux curés de paroisse d'avoir, à côté du sacramentaire et du lectionnaire, un pénitentiel. Les évêques devront s'assurer que les prêtres de leur circonscription sachent « taxer » convenablement les pécheurs qui viennent se confesser à eux.

Ce n'est donc pas le principe même de la taxation pénitentielle qui est remis en cause. Il ne s'agit pour les évêques que de restaurer, avec la remise en usage de la pénitence antique, une taxation « authentique », c'est-à-dire conforme aux canons pénitentiels des conciles passés. C'est la réforme à laquelle s'appliquent les assemblées des années 813 et 829. On éliminera les livrets pénitentiels anonymes en leur substituant des catalogues canoniques ; pour restaurer la pénitence antique, on fera appel, si besoin est, à l'appui du bras séculier.

En fait, les tentatives carolingiennes ont abouti à la dichotomie célèbre qui restera classique durant des siècles : à péché grave public, pénitence publique ; à péché grave occulte, pénitence tarifée (ou privée sacramentelle, dans la suite).

Les conciles de Worms (868) et de Tribur (895) décrivent en détail le jeûne pénitentiel imposé en cas d'un meurtre. Il s'agit évidemment ici de pénitence publique. Le même crime, si celui-ci était resté caché, est taxé différemment dans les livres pénitentiels.

Dès les origines, les taxes étaient accompagnées, dans les catalogues à usage des confesseurs, de tarifs de commutation ou de « rachat » qui en sont le correctif indispensable dans la pratique journalière. Les abus découlant des rédemptions pénitentielles sont manifestes ; nous les avons signalés plus haut. Les conciles, depuis le milieu du VIII° siècle jusqu'à la fin du XII° siècle rappellent aux confesseurs, avec insistance mais en vain, qu'il leur est interdit de s'enrichir, par le moyen d'amendes ou de messes, au détriment de leurs pénitents, et de se livrer, à l'occasion de la confession, à des pratiques telles que nous les signale, entre autres, le moine cistercien de Heisterbach. Ces mises en garde ont pu, au plus, remédier aux abus particulièrement scandaleux, mais ne semblent avoir entamé en rien le principe même du rachat par numéraire ou par messes à dire.

L'on sera peut-être surpris de ne trouver, parmi nos voix autorisées, aucune directive émanant de Rome — surtout si l'on veut bien se rappeler la correspondance suivie et abondante échangée entre les évêques de la Gaule et les papes de Rome, durant la période paléochrétienne (voir sur ce point **Le pécheur et la pénitence dans l'Église ancienne**). A l'époque mérovingienne et jusqu'au mouvement de réforme inauguré par Grégoire VII, à la fin du XIᵉ siècle, l'Église de Rome demeure silencieuse ; elle ne dispose ni de l'autorité, ni des moyens pour intervenir dans le développement des institutions d'aucune sorte. Pas plus que dans le domaine liturgique ou canonique, les papes n'ont eu d'initiative dans le domaine pénitentiel durant les siècles qui nous occupent ici.

1. RÉACTIONS CONTRADICTOIRES

Deux réactions opposées à propos de la pénitence insulaire : l'une négative, provenant de juristes qui condamnent sans appel l'innovation ; l'autre, positive et bienveillante, manifestée par des évêques que préoccupait une situation pastorale pratiquement sans issue, créée par le « vide pénitentiel » dont la pénitence antique était responsable. Pour ces évêques, la pénitence tarifée comblait le désert spirituel où vivaient les pécheurs.

Une intolérable innovation
CONCILE DE TOLÈDE (589) c. 11 (BRUNS, *Canones*, I, p. 215)

Nous avons appris que, dans certaines Églises d'Espagne, les fidèles font pénitence de leurs péchés non suivant la manière canonique, mais d'une façon scandaleuse : chaque fois qu'ils ont péché (gravement), chaque fois ils demandent à être réconciliés par le prêtre. Pour réprimer une si exécrable audace, notre sainte assemblée a décrété qu'on donnera la pénitence suivant la forme canonique établie par nos Pères, à savoir :

celui qui se repent de ses fautes sera privé de la communion et, mis au rang des pénitents, il recevra l'imposition des mains. Son temps d'expiation achevé, il sera réadmis à la communion, selon que l'évêque en jugera. Quant à ceux qui retombent dans les fautes graves, soit durant leur temps de pénitence, soit après la réconciliation, ils seront punis avec toute la sévérité prescrite par les anciens canons.

Un remède pour les âmes pécheresses
CONCILE DE CHALON-SUR-SAONE (647-653) c. 8. (CCL 148 A, p. 304)

En ce qui concerne la pénitence pour l'expiation des péchés — pénitence qui est le remède (ou, suivant certains manuscrits : la moelle) de l'âme — nous estimons qu'elle est utile à tous. Les prêtres recevront la confession des pécheurs et leur imposeront une pénitence appropriée : tel est le sentiment unanime des Pères de cette assemblée.

2. *LES CONFESSEURS AUX ARMÉES*
CONCILE d'AUSTRASIE, dit premier concile germanique (742)

Nous défendons absolument aux clercs de porter les armes et d'aller à la guerre, exception faite pour ceux qui ont été choisis, en raison de leur charge, pour célébrer la messe et pour porter les reliques des saints. Ainsi, le prince (c'est-à-dire le maire du palais d'Austrasie) pourra être accompagné d'un ou de deux évêques avec leurs chapelains. Chaque préfet aura avec lui un prêtre pour recevoir la confession des soldats et pour leur imposer la pénitence à accomplir. A tous les clercs nous interdisons la chasse et les randonnées à travers bois avec des meutes de chiens. Ils ne tiendront pas non plus de vautours ou de faucons (pour la chasse).

(Ce canon du concile d'Austrasie est repris par Charlemagne, dans son premier Capitulaire général [vers 769].)

3. ANARCHIE CRÉÉE PAR LA MULTIPLICATION DES PÉNITENTIELS

L'état de confusion, pour ne pas dire d'anarchie, qu'avait engendré la prolifération des livres pénitentiels est manifeste ; il suffit de jeter un regard sur ces livres eux-mêmes. Les réformateurs carolingiens du début du IX° siècle ont ressenti vivement ce désordre, comme le prouve, entre autres, la correspondance ci-dessous, échangée entre Ebbon de Reims et Halitgaire de Cambrai.

L'on observera que les évêques ne contestent pas le **principe** même de la taxation pénitentielle, mais seulement l'arbitraire qui, d'un livret à l'autre, caractérise cette taxation.

Ebbon, évêque de Reims
Lettre à Halitgaire, archevêque de Cambrai (vers 830)
(MGH Ep., V, 617)

Dans votre charité, vous n'ignorez pas, je ne veux pas en douter, combien je suis préoccupé par les soucis que me causent la discipline ecclésiastique, les besoins des fidèles et les multiples affaires de la vie quotidienne. C'est pourquoi, je vous l'ai dit, je n'ai pas été en mesure de compiler, à l'usage de nos frères dans le sacerdoce, un pénitentiel formé d'extraits des écrits des Pères et de canons authentiques. Nos forces, trop dispersées, ne peuvent plus se concentrer sur une seule et unique entreprise. Ce qui me préoccupe en la matière est le fait que les taxes pénitentielles contenues dans les livrets qui sont entre les mains de nos prêtres sont tellement confuses, différentes, contradictoires entre elles et dépourvues de toute autorité

13

qu'il n'est plus guère possible de les appliquer. Il s'ensuit que les confesseurs ne peuvent subvenir aux besoins des fidèles qui recourent au remède de la pénitence, tant à cause de l'anarchie qui règne dans les pénitentiels qu'à cause de leur peu de discernement. C'est pourquoi, frère très cher, ne refuse pas de faire ce travail, toi qui t'es toujours, avec tellement de succès, appliqué aux études des institutions et des Écritures.

Réponse d'Halitgaire à Ebbon

J'ai reçu, vénéré Père, votre lettre où vous me recommandez de ne pas me laisser aller à la paresse spirituelle et de m'appliquer chaque jour à la méditation des saintes Écritures ! Mais vous me recommandez surtout de rassembler des extraits des Pères et des canons conciliaires, pour en faire un pénitentiel. Ce que vous me demandez est ardu, difficile, voire redoutable ; c'est une besogne que des personnes avisées, je le sais, ont refusé d'accomplir... Mais, en pesant bien la difficulté de l'entreprise et aussi la haute autorité qui me sollicite, je ne peux ni ne veux refuser. Je suis persuadé que votre autorité sera un secours précieux pour mon incompétence, capable de compenser les difficultés de la tâche. Recevez mes salutations.

4. UN PÉNITENTIEL DANS LA BIBLIOTHÈQUE DE CHAQUE PRÊTRE ET DE CHAQUE CONFESSEUR

Charlemagne
Capitulaire relatif aux examens des clercs (802) c. 4 (MGH Cap. Reg. Franc., I, p. 110)

De même : que les prêtres, dans l'enseignement qu'ils donnent aux fidèles, dans leur prédication et dans le ministère de la confession, apprennent aux gens comment se comporter et sachent comment imposer les remèdes (œuvres pénitentielles) pour les péchés.

Capitulaire ecclésiastique (810-813 ?) c. 15. (MGH Cap. Reg. Franc., I, p. 179).

Que chaque prêtre ait un catalogue où sont énumérés les péchés graves et ceux de moindre importance, pour qu'il soit capable de connaître comment se garder lui-même des embûches du démon et comment l'enseigner à ses fidèles.

Capitulaire synodal du début de IXe *siècle,* c. 4. (MGH Cap. Reg. Franc., I, p. 237)

Que chaque prêtre soit instruit dans les sciences canoniques et qu'il sache bien se servir de son livre pénitentiel.

Les conciles réformateurs

CONCILE DE REIMS (813) c. 12. (MGH Con. AK, I, p. 255)

Ensuite il fut décidé en ce qui concerne la pénitence : les prêtres devront connaître d'une manière très précise comment recevoir les confessions et comment imposer les pénitences selon les règles canoniques.

CONCILE DE TOURS (813) c. 22 (MGH Conc. AK, I, 1, p. 789)

Evêques et prêtres seront très attentifs à la manière avec laquelle ils fixeront la durée du jeûne qu'ils imposent à leurs pénitents. En particulier, ils veilleront à faire correspondre ce jeûne à la nature des péchés. A cet égard, en effet, l'on voit des confesseurs qui appliquent des taxes arbitraires et inconsidérées. Il nous a paru nécessaire, puisque tous les évêques sont réunis dans notre résidence impériale (de Tours), de rechercher

exactement lequel des anciens pénitentiels il convient de suivre
de préférence.

5. VAINES TENTATIVES POUR RESTAURER
LA PÉNITENCE ANTIQUE

L'empereur en personne, secondé par les conciles dits réformateurs de l'année 813, entreprend de restaurer la pénitence antique. Il faut, proclament les évêques, rechercher les livrets des
confesseurs, les détruire, de préférence en les jetant au feu. Or,
jamais plus qu'à la fin du VIII° siècle et au début du IX°, les
pénitentiels, tant honnis, ne se sont multipliés et répandus dans
les églises et chapelles de l'empire.

Appel à l'empereur
pour restaurer l'ancienne discipline
CONCILE DE CHALON (813) c. 38 (MGH Conc. AK., I,
p. 278)

En beaucoup d'endroits l'habitude s'est perdue de faire pénitence suivant l'ancien usage canonique, et l'on n'observe plus
l'ancienne manière de réconcilier. Nous demandons l'aide de
l'empereur pour que le pécheur dont la faute est publique
fasse pénitence publique et qu'il soit excommunié puis réconcilié, selon ses œuvres, suivant les règlements canoniques.

Eliminer les pénitentiels
CONCILE DE CHALON (813) c. 38 (MGH Conc. AK., I,
p. 281)

La pénitence doit être imposée, comme nous l'avons dit,
aux pécheurs repentants suivant l'ancien usage canonique, selon

le témoignage des Écritures et selon l'usage canonique, en éliminant et en rejetant sans compromis les livrets appelés pénitentiels, dont les erreurs sont évidentes et les auteurs peu dignes de foi. De ces auteurs anonymes on dira à juste titre : « Ils tuent les âmes qui ne doivent pas mourir et déclarent en vie celles qui sont mortes (cf. Ezéch. XIII, 18). » Ils imposent pour les péchés graves des expiations insignifiantes et inusitées, et ainsi « ils confectionnent des coussins pour chaque coude et cousent des oreillers pour chaque tête, quel que soit l'âge, pour réduire en captivité les âmes (cf. Ezéch. XIII, 18). »

Brûler les pénitentiels

CONCILE DE PARIS (829) chap. 82 (MGH Conc. AK., I, 2, p. 633)

De nombreux prêtres, soit par laisser-aller, soit par ignorance, imposent les taxes pénitentielles à leurs pénitents autrement que ne le prévoient les canons. Ils se servent de certains opuscules, anticanoniques, dits pénitentiels. Pour cette raison, loin de guérir les blessures dont souffrent les pécheurs, ils les avivent. C'est à eux que s'applique le mot du prophète :« Malheur à ceux qui cousent des coussins pour toutes les jointures des mains et qui font des oreillers pour toutes les têtes de toute taille, pour prendre les âmes au piège (Ezéch. XIII, 18). »

A nous tous il a semblé nécessaire que chaque évêque fasse rechercher dans son diocèse ces opuscules inauthentiques et les fasse brûler, afin d'éviter qu'à l'avenir des prêtres ignares n'induisent en erreur leurs fidèles. Les confesseurs qui, pour des motifs de lucre, par amitié, par crainte ou par complaisance, déterminent la durée et la manière de faire pénitence selon le bon plaisir des pénitents, ces confesseurs veuillent bien écouter ce que leur dit le Seigneur par son prophète Ezéchiel : « Parce que vous préférez la vanité et que vous avez des visions de mensonge, voici que je viens à vous — orale de Yaweh. Ma main sera sur les prophètes qui ont des visions vaines et des divinations de mensonge. Ils ne seront pas dans le conseil de mon peuple. Ils ne seront pas inscrits dans le livre de la maison d'Israël ;

ils n'entreront pas dans la terre d'Israël — et vous saurez que je suis le Seigneur Yaweh — attendu qu'ils ont égaré mon peuple en disant : Paix ! quand il n'y avait pas de paix » (Ézéch. XIII, 8, 10) » et, un peu plus loin : « Quand vous preniez au piège les âmes de mon peuple, vos âmes à vous vivaient. Vous m'avez déshonoré auprès de mon peuple pour une poignée d'orge et pour un morceau de pain, faisant mourir des âmes qui ne doivent pas mourir et faisant vivre des âmes qui ne devaient point vivre, trompant ainsi mon peuple qui écoute le mensonge (Ézéch. XIII, 18-19). »

Les curés sans formation seront instruits, avec soin, par leurs évêques de la manière dont il faut interroger, avec discrétion, leurs pénitents pour rechercher les péchés commis, et de la manière de leur imposer une taxe pénitentielle, en conformité avec les canons. Jusqu'ici à cause de la négligence des confesseurs et à cause de leur ignorance, de nombreux crimes sont restés sans châtiment, ce qui, assurément, occasionne la ruine des âmes.

6. LA « DICHOTOMIE » CAROLINGIENNE EN MATIÈRE DE PÉNITENCE : LES DEUX PÉNITENCES

La lutte entreprise par les carolingiens contre les livrets des confesseurs a abouti à un compromis dans la pratique journalière, suivant un critère qu'avait ignoré l'Église ancienne. Il y aura deux manières de faire pénitence, suivant la publicité ou notoriété affectant le péché commis. A péché grave public, pénitence publique, c'est-à-dire accomplie suivant les lois ayant régi la pénitence antique ; à péché grave occulte, pénitence tarifée selon les catalogues figurant dans les pénitentiels. Ce n'est donc pas la malice plus ou moins grande du péché qui sera le critère pour choisir la pénitence appropriée, mais la notoriété ou publicité affectant l'acte peccamineux.

Charlemagne
Capitulaire de Saxe (775-790) c. 14 (MGH Cap. Reg. Franc., I, p. 69)

Si les crimes punis de mort énumérés plus haut (vol de biens d'Église, non-observance du jeûne quadragésimal, assassinat d'un évêque, d'un prêtre ou d'un diacre, magie, crémation des cadavres, refus du baptême, conjuration, trahison, rapt de la fille du seigneur, assassinat du seigneur ou de sa femme) sont restés *secrets,* et que le coupable s'adresse à un prêtre et, après sa confession, promet de faire pénitence, il aura la vie sauve, sur le témoignage de son confesseur.

Théodulphe d'Orléans † (821)
Capitulaires pour les curés du diocèse (PL 105, c. 215)

30. Ce que nous avons dit plus haut s'applique à ceux qui se sont présentés à la pénitence publique et font pénitence publiquement. Si les fautes sont restées *cachées* et si les coupables sont venus trouver le prêtre en secret et ont fait une confession sincère, ils feront pénitence en secret, suivant la manière convenable à leur âge.

32. Ainsi, si un prêtre a commis un adultère (fornication) et que ce crime est connu de tous, il sera déposé de son ordre et expiera sa faute par une pénitence publique de 10 ans. Si, au contraire, le même crime est resté *secret* et s'il s'en est confessé en privé, le confesseur lui imposera une pénitence secrète. Le prêtre en question jugera lui-même s'il doit, ou non, quitter son ministère, ou s'il peut, tout en exerçant ses fonctions sacerdotales, expier convenablement ses fautes.

Raban Maur † (856)
De l'instruction des clercs, à l'archevêque Haistulphe, II, 30,
(PL 107, c. 342-343)

Si la faute est *publique,* connue de tous et a scandalisé toute
la communauté chrétienne, on imposera au pécheur les mains à
l'entrée du chœur (entrée en pénitence publique). Mais si les
fautes restent *secrètes* et que les pécheurs les confessent spontanément au prêtre ou à l'évêque seul, la pénitence devra
elle aussi demeurer secrète, selon que l'évêque ou le prêtre
auquel elles furent confessées en jugera. De la sorte, les personnes faibles dans l'Église ne seront pas scandalisées, en voyant
des expiations publiques dont elles ignorent la raison.

7. *LA RÉACTION DES CONCILES CONTRE LES « RACHATS » PÉNITENTIELS ABUSIFS*

On a pu écrire et démontrer par les textes (MURATORI) que les
amendes versées en équivalence du jeûne pénitentiel ont été une
des causes de l'enrichissement des monastères. Il est certain que,
par cupidité, bien des confesseurs ont abusé de ce système de
rachat. Les conciles réagissent vivement contre l'abus. Il ne
semble pas que les mises en garde aient produit leurs effets.
L'abus ne tombera qu'avec la disparition de la pénitence tarifée.

CONCILE DE CLOVESHOE (747) (MANSI, *Concilia,* XII, 403)

c. 26. L'aumône est nécessaire également aux pécheurs qui
font pénitence en jeûnant, pour que par là les péchés soient
remis plus promptement et plus pleinement par Dieu... Mais
que l'aumône ne serve pas — selon une coutume dangereuse
et selon le bon plaisir de chacun — à abréger ou à modifier le
jeûne pénitentiel ou les autres œuvres imposées par le prêtre
pour les péchés, mais qu'elle serve plutôt à corroborer la conversion... Il est certes bon de réciter des psaumes, de faire de

nombreuses génuflexions, de donner l'aumône chaque jour, mais ce n'est pas une raison pour écourter, *en échange,* l'abstinence ou le jeûne imposé selon les lois de l'Église, sans lequel nul péché ne saurait être pardonné.

c. 27. ... Récemment un homme riche, selon les critères du monde, demandait que l'absolution lui fût rapidement donnée pour un crime qu'il avait commis. Il allégua dans sa lettre que, pour accomplir le jeûne imposé, il devrait vivre 300 ans et que donc il lui fallait compenser son propre jeûne par l'intermédiaire de tierces personnes qui réciteraient des psaumes et jeûneraient, et par les aumônes qu'il distribuerait, même si lui-même ne jeûnait que très peu. Si, par d'autres que le coupable, la justice divine pouvait être apaisée, pourquoi les riches qui sont en mesure de racheter leurs jeûnes à prix d'argent, en faisant jeûner les autres, « entreraient-ils plus difficilement au royaume des cieux qu'un chameau par le trou d'une aiguille (Matth. XIX, 24) ? »

CONCILE DE ROUEN (1048) c. 18 (MANSI, *Concilia,* XIX, 753-754)

Que personne ne se permette d'accabler ou de favoriser les pénitents, par cupidité. La pénitence doit être déterminée suivant la nature de la faute et suivant ce dont est capable le pécheur. Les confesseurs qui transgressent cette décision seront déposés de leur ordre.

CONCILE D'YORK (1195) c. 3 (MANSI, *Concilia,* XXII, 653)

Nous interdisons au confesseur d'imposer, par cupidité, à son pénitent laïc, de faire dire des messes. Nous décidons aussi qu'aucun prêtre ne convienne d'honoraires fixes en échange de messes à célébrer, mais qu'il se contente de ce qui est offert à la messe.

CONCILE DE LONDRES (1200) c. 4 (MANSI, *Concilia,* XXII, 715)

La pénitence, qui est la deuxième planche de salut après le naufrage, doit être entourée d'une discrétion d'autant plus grande que cette pénitence est nécessaire pour réparer les fautes. Conformément aux saints canons, nous ordonnons que les confesseurs soient attentifs aux circonstances, à la qualité des personnes et au nombre des fautes. Qu'ils soient attentifs aussi au temps, lieu, cause et durée des actes peccamineux, ainsi qu'aux dispositions intérieures du pénitent. Que la pénitence imposée à la femme ne soit pas telle à éveiller les soupçons du mari — et réciproquement. Aucun prêtre, après une faute grave, ne célébrera la messe avant de s'être confessé.

Nous ajoutons, pour mettre un terme à la cupidité de certains confesseurs, qu'il est interdit d'imposer comme pénitence des messes à faire dire, à ceux qui ne sont pas prêtres.

8. *LA CONFESSION A DIEU SEUL, SANS L'INTERMÉDIAIRE DU PRÊTRE*

Un texte assez singulier nous rappelle que la confession faite à Dieu seul, sans l'intermédiaire du confesseur, reste toujours possible. Parmi les canons de la même époque, ce document semble constituer, à première vue, un bloc erratique. Il n'est pourtant pas isolé. Dans l'Église ancienne, comme durant le haut Moyen Age et même dans les livres pénitentiels, l'aveu des péchés fait à Dieu seul, la **confessio Deo soli**, n'a jamais été contesté. L'on citerait, sans peine, des témoins nombreux dans ce sens. Le principe de l'accusation des fautes faite dans le secret de la conscience à Dieu seul ne sera contesté qu'à partir du XIᵉ siècle, comme nous le démontre la falsification de Burchard de Worms († 1025).

CONCILE DE CHALON-SUR-SAONE (813) c. 33 (MGH Conc. AK, I, p. 280)

Certains disent qu'il faut confesser ses péchés à Dieu seul, d'autres qu'il faut les confesser aux prêtres : l'un et l'autre usage, en vigueur dans l'Église, sont une source de grands bienfaits. Ainsi nous confesserons nos péchés à Dieu seul — à Dieu qui seul nous les remet — et nous dirons avec David : « Je t'ai fait connaître mon péché, je n'ai point caché mon iniquité.

J'ai dit : Je veux confesser à Dieu mes transgressions et toi tu as remis l'iniquité de mon péché (Ps. XXXI, 5). »

D'autre part, selon les instructions données par l'apôtre (cf. Jacques V), nous confesserons nos fautes les uns aux autres, afin que nous soyons réconciliés. La confession faite à Dieu seul nous purifie de nos péchés ; celle que nous faisons aux prêtres nous apprend comment nous purifier de nos péchés. Dieu auteur et dispensateur du salut et de la santé nous accorde le pardon, tantôt par l'opération de sa puissance invisible, tantôt par l'œuvre des médecins de l'âme (les confesseurs).

Il est instructif de connaître les destinées du texte du concile de Chalon de 813, qui, à côté du système pénitentiel contrôlé par l'Église, admet la confession faite à Dieu seul, sans aucun intermédiaire. A l'époque de Burchard de Worms († 1025), la liberté dont témoignent encore les Pères de Chalon, paraissait déjà choquante. En reprenant le canon conciliaire carolingien, Burchard y ajoute des interpolations destinées à édulcorer la signification originale et qui en altèrent gravement le sens. C'est cette recension altérée qui a passé dans les collections postérieures. Nous donnons le texte de Burchard en mettant en italiques les interpolations :

« Certains disent qu'il faut confesser ses péchés à Dieu seul, *comme font les Grecs,* d'autres, qu'il faut les confesser aux prêtres, *comme le fait toute la sainte Église* ; l'un et l'autre usage, en vigeur dans l'Église, sont une source de grands bienfaits. Ainsi nous confesserons nos péchés à Dieu seul — à Dieu qui seul nous les remet — *et ceci est le propre des saints,* et nous dirons avec David », etc.

« La confession faite à Dieu seul, *ce qui est le propre des justes,* nous purifie de nos péchés ; celle que nous faisons aux prêtres, etc. (Burchard, *Décret,* XIX, c. 145). »

V

LES PRIÈRES DE L'ÉGLISE

---

1. LE RITUEL DE PÉNITENCE PUBLIQUE

2. RITUELS DE LA PÉNITENCE TARIFÉE

3. LES MESSES PÉNITENTIELLES

Durant tout le Moyen Age, surtout jusqu'au début du XIIIᵉ siècle, où se produit une réorganisation du système pénitentiel, l'Église subvient officiellement aux misères spirituelles des pécheurs par deux remèdes : par la pénitence publique et par la pénitence tarifée.

La pénitence publique est imposée aux fidèles dont les péchés graves sont connus des autres paroissiens ou concitoyens, et qui ont fait scandale. La pénitence tarifée est le remède réservé à ceux qui ont gravement péché, mais sans que leurs actes soient parvenus à la connaissance d'autrui. La même faute, nous l'avons dit, est susceptible d'un double traitement, non suivant la gravité intrinsèque de l'acte, mais suivant la publicité que l'acte coupable a pu avoir. Cette dichotomie est officielle depuis les carolingiens.

Nous décrivons le rituel de la pénitence publique tel qu'il figure chez Réginon de Prum († 915) et dans le Pontifical romano-germanique du Xᵉ siècle (rédigé vers 950/960). Les deux documents concordent entre eux et se complètent dans les moindres détails. Ce rituel a passé intégralement dans Burchard de Worms († 1025/1026), **Décret,** XIX, 26, et dans Gratien (vers 1142), **Décret,** Distinction 50, chapitre 64 : De la pénitence. En substance, l'on y retrouve, augmenté d'éléments destinés à faire impression sur les assistants, le cérémonial tel qu'il figure déjà dans le sacramentaire dit Gélasien ancien (**Vat. Reg.** 316), I, 15-16 et 38, et que nous avons reproduit dans le volume sur **Le pécheur et la pénitence dans l'Église ancienne,** Paris, 1966, pp. 200-204.

Les collections canoniques, et surtout l'autorité du Pontifical romano-germanique du Xᵉ siècle — lequel s'est implanté dans toutes les églises d'Occident, la ville de Rome y compris — ont assuré à notre rituel une diffusion exceptionnelle. Les pontificaux des siècles postérieurs l'ont repris à la lettre. L'on ne se trompera donc pas, en y voyant le cérémonial-type de la liturgie pénitentielle publique au Moyen Age.

Pour ce qui est de la pénitence tarifée, nous avons retenu trois exemples de liturgie, parmi la dizaine de rituels qui nous sont connus. En substance, le déroulement des rites est toujours le

même et s'articule sur deux pivots principaux : l'accusation
détaillée des fautes et la taxation précise de chacune d'elles.
Dans les exemples qui figurent ci-après l'on trouve des formules
d'absolution, mais nous l'avons dit, tel n'est pas toujours le cas.
Certains pénitentiels ne contiennent ni rituels ni prières absolutoires. Le plus précis des rituels de la pénitence tarifée figure
dans le même Pontifical romano-germanique du Xᵉ siècle. Étant
donné le crédit quasi officiel dont a joui ce livre épiscopal, nous
pouvons croire que la liturgie de la pénitence tarifée, sur le
mode romano-germanique, a eu la faveur des confesseurs.

1. *LE RITUEL DE LA PÉNITENCE PUBLIQUE*

RÉGINON de PRUM († 915), *Livre des affaires synodales,*
I, 291 (PL 132, 245-260) et le *Pontifical romano-germanique
du* Xᵉ *siècle* (éd. VOGEL-ELZE, *Le Pontifical romano-germanique*, II, Città del Vaticano, p. 21 et 59-67).

Mercredi des Cendres

I. *Rite d'entrée en pénitence*

Le mercredi des Cendres, tous les pénitents qui entrent ou
qui sont déjà entrés en pénitence publique, comparaissent en
présence de l'évêque du lieu, devant le porche de l'église, revêtus
du sac, pieds nus, les yeux baissés, exprimant ainsi leur culpa-
bilité par leur maintien et leur visage. Les doyens seront présents, à savoir les archiprêtres des paroisses, avec les témoins,
c'est-à-dire les prêtres pénitenciers. Ces pénitenciers contrô-
leront attentivement la manière de vivre des pénitents. L'évêque,
selon la gravité de la faute, imposera une pénitence appropriée et progressive.

Ensuite l'évêque introduira les pénitents dans l'église et,
avec tout son clergé, il dira pour la rémission de leurs fautes
les sept psaumes de la pénitence, étendu à terre et versant
d'abondantes larmes.

II. *Imposition des mains ; aspersion d'eau bénite ; imposition du cilice et des cendres*

Puis, se levant, en accord avec ce que prescrivent les canons, l'évêque imposera les mains aux pénitents, les aspergea d'eau bénite après les avoir couverts de cendres. Il recouvrira leur tête du cilice et, la voix coupée de gémissements, il annoncera aux pénitents qu'ils vont être expulsés de l'église à cause de leurs péchés, comme jadis le fut Adam du paradis.

[1. *Imposition des cendres*]

Ici l'on imposera les cendres sur la tête du pénitent et l'on dira :
Souviens-toi, homme, que tu es poussière et que tu retourneras en poussière » (PRG n. XCIX, 71).

[2. *Imposition du cilice*]

Immédiatement après, on lui imposera le cilice en disant :
Change ton cœur et humilie ton esprit dans les cendres et le cilice. Dieu, en effet, ne dédaignera pas un cœur contrit et humilié » (PRG n. XCIX, 71).
Prière :
Nous t'en supplions Seigneur, que ta grâce salutaire assiste ton serviteur N. et le fasse fondre en larmes abondantes, afin qu'il mérite par ses mortifications d'arrêter ta juste colère grâce à une expiation appropriée (PRG n. XCIX, 72).

III. *Expulsion des pénitents*

Ensuite, l'évêque demande à ses ministres de mettre les pénitents à la porte de l'église. Il dira la formule suivante :
Voici que tu es expulsé du sein de ta sainte mère l'Église, à cause de tes péchés, comme Adam le premier homme fut expulsé du paradis à cause de sa faute (PRG. n. XCIX, 73).

14

Le clergé accompagnera les pénitents en chantant le répons suivant :

Dans la sueur de ton front tu gagneras ton pain, dit le Seigneur à Adam. Tu travailleras la terre et elle ne donnera que des épines et des ronces (Gen. III). Parce que tu as obéi davantage à la voix de ton épouse qu'à ma voix, la terre sera maudite en même temps que ton travail. Elle ne donnera pas de fruits, mais des épines et des ronces (PRG. n. XCIX, 73).

Ainsi les pénitents, voyant 'a sainte assemblée des fidèles épouvantée et scandalisée à cause de leurs crimes, ne considéreront pas la pénitence comme une chose de peu de valeur.

Jeudi saint

Le Jeudi saint, les pénitents viendront se présenter de nouveau devant le porche de l'église.

1. Devant le porche

Les pénitents quittent le lieu où ils ont fait pénitence, pour être présentés à l'assemblée des fidèles. L'évêque s'assied devant le porche et les pénitents se tiennent dans l'atrium, sur une estrade, avec l'archidiacre, attentifs aux ordres qu'il leur donnera.

L'archidiacre, avant de présenter les pénitents à l'évêque, lui adresse la supplique suivante :

« Vénérable pontife, le temps de grâce est arrivé, à savoir le jour de la miséricorde divine et du salut des hommes, le jour où la mort a été vaincue et où la vie éternelle a pris son commencement : dans la vigne du Dieu Sabaoth, il faut maintenant planter de jeunes pousses pour remplacer toute vétusté. Bien qu'il n'y ait pas d'époque où Dieu ne dispense les trésors de sa'bonté et de sa miséricorde, les jours présents sont néanmoins plus propices que d'autres à la rémission des péchés et à la grâce du baptême. Notre assemblée va s'accroître du nombre des nouveaux baptisés, elle va s'accroître aussi de tous les pécheurs qui lui reviennent. Les eaux baptismales purifient, comme purifient les larmes de la pénitence. Joie pour l'admission des nouveaux fidèles, joie aussi à cause de la réconciliation ! C'est pourquoi, la troupe suppliante de tes pénitents qui, après être tombée dans les fautes et le crime, en transgressant tes lois et les bonnes mœurs, s'humilie et se prosterne devant Dieu, en disant avec les prophète : ' J'ai péché, j'ai mal agi, j'ai fait l'injustice : aie pitié de moi Seigneur ' (Dan. IX, 5) entendra et non en vain la voix qui parle par l'Évangile : ' Heureux ceux qui pleurent, car ils seront consolés ' (Matth. V, 5). Le pénitent a mangé, comme il est écrit, le pain de la douleur, il a arrosé sa couche de larmes, il a mortifié son cœur dans l'affliction et il a macéré son corps dans les jeûnes, pour que son âme retrouve la santé qu'elle avait perdue. La grâce de la pénitence, unique, est utile à tous et profitable à chacun.

Le pénitent incité à accomplir son expiation par tous les exemples qu'il voit autour de lui, en présence de tous les assistants éplorés, s'écrie et proclame, vénérable évêque : ' Je reconnais mes fautes, et mon péché se dresse toujours en face de moi. Détournez-vous, Seigneur, de mes iniquités et effacez tous mes péchés. Détournez-vous, Seigneur, de mes iniquités et effacez tous mes péchés. Rendez-moi la joie qui naît du salut retrouvé et affermissez-moi dans votre Esprit '. »

C'est ainsi que les pénitents invoquent et supplient la miséricorde de Dieu, dans l'afflication de leur cœur.

« Vénérable pontife, continue l'archidiacre, rénovez en eux ce que le diable a déchiré et corrompu ! Par la qualité de vos prières et grâce à la réconciliation qui vient de Dieu, remettez ces hommes en amitié avec Dieu ! Que les pénitents en défaveur tantôt à cause de leurs errements, puissent désormais être agréables à Dieu parmi les hommes, après la défaite du démon, auteur de leur mort (PRG. n. XCIX, 224-227) ! »

2. *Le rite de l'appel solennel.*

Ensuite l'évêque entonne l'antienne : *Venez !*
Le diacre, au nom des pénitents, dit : *Fléchissons les genoux !*
Puis, au nom de l'évêque, le diacre dit : *Levez-vous.*
L'on fait de même une seconde fois sauf que l'évêque dira deux fois : *Venez, venez !*

Les pénitents avancent jusqu'au pavement de l'atrium.

Quand pour la troisième fois et par trois fois l'évêque aura dit : *Venez, venez, venez !* le diacre continuera : *Fléchissons les genoux.*

Les pénitents, avec le diacre, se prosterneront aux pieds de l'évêque et resteront ainsi jusqu'à ce que l'évêque, se relevant, fasse signe au second diacre. Celui-ci dira : *Levez-vous !*

Le clergé entonne l'antienne : *Venez mes fils, écoutez-moi ; je vous apprendrai à craindre le Seigneur,* avec le psaume : *Je bénirai le Seigneur en tous temps* (Ps. XXXIII).

3. *Réadmission dans l'église*

Pendant le chant de l'antienne *Venez,* avec le psaume correspondant, les pénitents se tiennent par la main et sont remis par leurs curés à l'archidiacre, lequel les remet à l'évêque qui les réintroduit dans l'église.

L'évêque entonne l'antienne : *O Dieu, créé en moi un cœur nouveau et renouvelle au-dedans de moi un esprit de force* avec le psaume : *Aie pitié de moi, ô mon Dieu* (Ps. L). Après le chant du psaume, l'évêque se prosterne avec tous les pénitents pendant le chant de la litanie.

Ensuite le pontife dit : *Kyrie eleison* et le *Notre Père.* Puis les versets usuels (PRG n. XCIX, 228-229).

4. *Réconciliation finale*

(Parmi les nombreuses formules d'absolution que donne le Pontifical romano-germanique du Xe siècle, nous retenons deux exemples : une formule d'absolution collective et une formule d'absolution individuelle. Toutes les prières absolutoires sont d'ordre déprécatif.)

Absolution collective.

« Le Seigneur Jésus-Christ, qui a dit à ses disciples : " Ce que vous lierez sur terre sera lié dans le ciel ", disciples auxquels il m'a agrégé dans sa bonté, bien que j'en sois indigne et plongé dans le péché, que le Seigneur lui-même, par le don surabondant de sa miséricorde et par mon humble ministère, veuille vous

absoudre de tous les péchés que, dans votre faiblesse, vous avez commis en pensées et en actes (PRG n. XCIX, 246). »
Absolution individuelle.

« Mon frère N., par l'invocation du saint nom de Dieu et par notre ministère, reçois ici-bas et dans l'éternité l'absolution et la rémission de tes péchés. Amen (PRG n. XCIX, 250). »

5. *Fin de la cérémonie*

L'évêque asperge d'eau bénite les pénitents réconciliés. Il les encense et dit : *Réveillez-vous vous qui dormez et que le Christ vous éclaire.*

Les pénitents se lèvent et l'évêque les exhorte à ne pas remettre en cause, par de nouveaux péchés, ce qu'ils venaient de laver par leur pénitence.

2. *RITUELS DE LA PÉNITENCE TARIFÉE*

Premier rituel de la pénitence tarifée, d'après le Pontifical romano-germanique du Xe siècle

Pontifical romano-germanique du Xe siècle, n. XCIX, 44-66 (Éd. C. VOGEL - R. ELZE, *Le Pontifical romano-germanique du Xe siècle*, II, Le texte, Città del Vaticano, 1963, pp. 14-20)

Instruction liminaire

Tout d'abord, le prêtre instruira les fidèles, suivant les enseignements de l'Écriture, pour qu'ils fassent pénitence sincère et viennent se confesser, le mercredi des Cendres, au début du Carême.

Il les avertira aussi de revenir le Jeudi saint pour recevoir l'absolution. Si pour une raison ou une autre — longueur du chemin, métier exercé par le fidèle ou encore parce que le pénitent est entêté au point de ne rien entendre — le confesseur imposera le jeûne pénitentiel, durant le Carême ou pendant l'année, et le réconciliera sur-le-champ.

De même que seuls les évêques et les prêtres, auxquels les clefs du Royaume ont été remises, doivent offrir le sacrifice eucharistique, de même eux seuls et personne d'autre ne doit se servir des livres pénitentiels. En cas de nécessité cependant ou quand le prêtre est loin, le diacre pourra recevoir les confessions et donner la sainte communion.

[*Prière d'entrée*]

Quand le confesseur reçoit un pénitent quel qu'il soit, laïc, clerc ou moine — si c'est une personne laïque celle-ci déposera son bâton — le pénitent se prosternera humblement devant le prêtre. Le confesseur dira la prière suivante :

« Seigneur, Dieu tout puissant, sois miséricordieux envers moi qui suis pécheur, pour que je puisse dignement te rendre grâces. Malgré mon indignité, tu m'as fait ministre du sacerdoce et, malgré ma petitesse, tu m'as établi comme médiateur pour intercéder auprès de Notre Seigneur Jésus-Christ pour les pécheurs qui veulent se convertir. Seigneur Dieu, qui veux sauver tous les hommes et les conduire à la vérité, qui ne veux pas la mort du pécheur mais sa conversion et sa vie, reçois ma prière que j'adresse à ta clémence pour tes serviteurs et servantes qui recourent à la pénitence et à ta miséricorde. »

[*Le dialogue pénitentiel*]

Ensuite le confesseur invitera le pénitent à s'asseoir près de lui et à s'entretenir avec lui des péchés contenus dans le pénitentiel. Le confesseur veillera à ce que le pénitent ne dissimule aucune tare spirituelle, par honte ou par lâcheté ou par oubli, par où le démon pourait le ramener à ses vomissures.

Le confesseur tiendra compte du sexe, de l'âge, de la situation, de l'état de la personne pour taxer en conséquence chacun des pénitents : il imposera aux uns le jeûne, aux autres des aumônes, à d'autres de faire des génuflexions en grand nombre, ou de se tenir bras en croix ou une pénitence analogue, utile au salut de leurs âmes. En effet, il y a une distinction à faire entre les pénitents : entre le riche et le pauvre, l'homme libre et le serf, l'enfant et l'adolescent, l'adulte et le vieillard, entre l'homme intelligent et celui qui est sot et obtus, entre le laïc et le clerc, le moine et l'évêque, le prêtre et le diacre, le sous-diacre et le lecteur, entre la vierge et la femme dans sa maturité, entre une chanoinesse et une religieuse, entre les malades et les bien-portants.

Il y a aussi une différence qualitative appréciable entre les péchés ou les pécheurs, entre celui qui vit dans la continence et celui qui ne l'observe pas, entre un péché commis volontairement par inadvertance ou en cachette, dans la manière aussi de faire pénitence et si le pécheur a été contraint à commettre son péché, en quel lieu et à quel moment.

Ainsi, le confesseur veillera à ce que tous trouvent leur salut, même les plus timorés et les plus faibles ; quant aux plus robustes, ils porteront plus courageusement leurs peines.

Après avoir bien examiné tout ceci et après avoir réconforté le pénitent, le prêtre l'interrogera de la manière suivante :

[Profession de foi pénitentielle]

Le prêtre : *Crois-tu en Dieu le Père, le Fils et le Saint-Esprit ?*
Le pénitent : *Je crois.*
Le prêtre : *Crois-tu que ces trois personnes sont un seul Dieu ?*
Le pénitent : *Je crois.*
Le prêtre : *Crois-tu que tu ressusciteras avec ton corps tel qu'il est maintenant, pour être récompensé ou puni selon tes œuvres ?*
Le pénitent : *Je crois.*
Le prêtre : *Es-tu disposé à pardonner à ceux qui ont péché contre toi, afin que Dieu, à son tour, te pardonne, lui qui a dit : Si vous ne pardonnez pas à autrui, votre Père qui est aux Cieux ne vous pardonnera pas non plus ?*

Si le pénitent est disposé à pardonner à autrui, le prêtre entendra sa confession et lui donnera sa pénitence. Sinon, le confesseur ne recevra pas le pénitent.

[*Accusation des fautes*]

Le pénitent, s'il est dans de bonnes dispositions, accusera ensuite tous ses péchés. (Ici notre rituel donne une longue liste de péchés tels que les présentent les pénitentiels, du genre de ceux que nous avons traduits).

Le confesseur dira :

[*Première prière absolutoire, non définitive*]

Que le Dieu tout-puissant te fasse miséricorde et te pardonne tous tes péchés. Qu'il te délie de tout mal et te maintienne dans le bien. Qu'il nous conduise tous les deux à la vie éternelle. Que le Seigneur te garde de tout mal.

[*Acte de contrition du pécheur*]

Le prêtre veillera à ce qu'aucun des péchés énumérés dans le pénitentiel ne demeure caché. Par son insistance, il les remettra en mémoire au pénitent. Ensuite, le pénitent à genoux par terre, mains étendues, le visage en larmes tourné vers le confesseur, dira son acte de contrition :

« J'ai commis encore d'autres et de nombreux péchés dont je ne me souviens plus, en action, en paroles et en pensées, pour lesquels je fais un ferme propos et promets d'accomplir une sévère pénitence. C'est pourquoi je te prie de me donner un conseil, ou mieux de m'indiquer la taxe pénitentielle, toi qui es le médiateur officiel entre Dieu et le pécheur. Je te prie aussi d'intercéder pour mes péchés. »

Ayant dit, le pénitent s'étendra de tout son long, la face contre terre ; il gémira, soupirera, pleurera, comme Dieu le lui donnera de faire, de tout son cœur. Le confesseur le laissera étendu un certain temps, jusqu'à ce qu'il soit entièrement contrit, sous l'action de la grâce divine.

[Imposition de la taxe pénitentielle]

Ensuite, le confesseur lui dira de se relever et de se tenir debout. Le pénitent, avec crainte et en toute humilité, attendra la sentence du prêtre. Celui-ci lui imposera un jeûne, en tenant rigoureusement compte de la qualité des personnes, de la nature de la faute, de l'intention du pécheur, de sa santé ou de ses infirmités.

Le pécheur, ayant reçu sa taxe, se prosterne aux pieds du confesseur et lui demande de prier pour lui, afin qu'il puisse accomplir ce qui lui est imposé et obéir au jugement du confesseur — comme s'il avait reçu de la bouche même de Dieu ces remèdes salutaires.

Quand des serfs ou des serves viennent se confesser, on ne leur imposera pas un jeûne aussi long qu'à leurs maîtres, car ils ne sont pas libres. Le confesseur leur imposera la moitié seulement de la taxe prévue (dans les Pénitentiels).

[Prières finales]

Le confesseur récitera les sept psaumes de la pénitence, le pénitent toujours étendu à terre (Ps. VI, XXXI, XXXVII, L, CI, CXXIX, CXLIII). Plus un certain nombre de répons et de prières. (Ce sont les formules encore en usage durant les offices du Carême et des Quatre Temps.)

[Renvoi du pénitent]

Après ces prières, le confesseur invite le pénitent à se relever. Lui-même se lève de son siège et, si le temps ou le lieu le permettent, confesseur et pénitent entrent à l'église et s'y tiennent à genoux, ou accoudés sur les bancs. Ils récitent les Psaumes XXXVII, CII et L, puis le *Kyrie eleison* et l'oraison dominicale. Enfin la prière :

« Dieu, de ta miséricorde tous les hommes ont besoin ! Souviens-toi de ton serviteur N. qui est dans le dénuement à cause de la faiblesse de son corps charnel. Accorde le pardon à celui qui confesse sa faute, épargne-le, afin que, condamné par ses actions, il soit sauvé par ta clémence. »

[*Absolution définitive le Jeudi saint*]

(Le Jeudi saint, le Pontifical romano-germanique du Xe siècle donne de longues séries de prières absolutoires qui conviennent aussi bien qu'aux pénitents publics qu'aux pénitents du système tarifé. Ces prières sont identiques à celles en usage au temps de Carême ; en voici deux exemples).

Absolution collective : « Que ta miséricorde, Seigneur, accueille tes serviteurs ici présents et que leurs péchés soient effacés sans retard par l'effet de la bonté. »

Absolution individuelle : « Frère N., puisses-tu bénéficier de l'absolution et de la rémission de tes péchés par l'invocation du très saint nom de Dieu et par l'entremise de notre ministère. Amen. »

(On sait que la formule aujourd'hui en usage : Moi, je t'absous etc., se rencontre une des premières fois chez Raoul l'Ardent, mort vers 1200, *Sermon 64 sur la Litanie majeure* PL 155, 1900 C/D. Avant le XIIe siècle, les formules absolutoires sont ou déprécatives et déclaratives, jamais indicatives.)

Deuxième rituel de la pénitence tarifée, d'après le Pénitentiel de Halitgaire, *évêque de Cambrai* † *(830)*

(WASSERSCHLEBEN, pp. 361-364.)

[*Préliminaires*]

Quand un fidèle vient trouver le prêtre pour se confesser, le prêtre lui fera dire d'attendre un moment, le temps qu'il lui faut pour aller se recueillir dans sa chambre. S'il n'a pas de chambre, le prêtre dira à voix basse la prière suivante :

« Seigneur, Dieu tout puissant, sois miséricordieux pour moi qui ne suis qu'un pécheur, afin que je puisse te remercier comme il convient. Te remercier, car tu m'as établi, moi humble et misérable, comme ministre de ton service sacerdotal et tu m'as constitué, malgré mon indignité, comme médiateur pour prier et intercéder auprès de notre Seigneur le Christ Jésus, pour les pécheurs qui se repentent. Seigneur, Maître, toi qui veux que tous les hommes soient sauvés et parviennent à la connaissance de ta vérité, qui ne veux pas la mort du pécheur mais qu'il se convertisse et vive, accueille la prière que je t'adresse pour tes serviteurs et tes servantes qui sont venus à la pénitence. »

[Confession et imposition du jeûne pénitentiel]

Le pécheur qui vient à la pénitence, voyant le prêtre attristé et pleurant à cause de ses péchés, sera frappé davantage de la crainte de Dieu, regrettera et détestera davantage ses propres crimes.

Quel que soit le fidèle qui s'approche de la pénitence, si tu vois qu'il est sincère et persévérant, reçois-le sans tarder. N'interdis pas le jeûne pénitentiel à celui qui est en état de l'accomplir. Il convient, en effet, de féliciter les pécheurs qui ont hâte de se libérer au plus vite de leur obligation — car le jeûne pénitentiel est une obligation.

Dis au pénitent qu'à la fin du jeûne imposé par le confesseur, il sera purifié de ses péchés. Mais s'il retourne à ses habitudes anciennes et à ses péchés, c'est comme si un chien revenait à ses vomissures.

[Prières après la taxation]

D'abord le Psaume XXXVII : *Seigneur ne me punis pas dans ta colère.*
Puis le confesseur dira : *Prions.*
Avec le Psaume CII : *Mon âme, bénis le Seigneur* jusqu'au verset : *Et ta jeunesse renouvelée a la vigueur d'un aigle.*
Puis de nouveau : *Prions.*

Avec le Psaume L : *Aie pitié de moi, Seigneur,* jusqu'au verset : *Efface toutes mes iniquités.*
Ensuite le Psaume LIII : *O Dieu, sauve-moi par ton nom.*
Et de nouveau : *Prions.*
Avec le Psaume LI : *Pourquoi te glorifier dans le mal* jusqu'au verset : *Les justes le verront et ils seront effrayés.*
Enfin le confesseur dira la prière suivante :
Dieu, infiniment miséricordieux et véridique, aie pitié de nos iniquités et guéris toutes les blessures de nos âmes afin que, bénéficiant de ta miséricorde, personne ne demeure sans pardon.
(A la place de la prière ci-dessus, le confesseur peut choisir entre d'autres prières indiquées dans le pénitentiel. Ces prières sont toujours du même type et de la même inspiration.)

[Imposition des mains avec formule d'absolution déprécative]

Le prêtre imposera les mains et dira :
« Dieu saint, Père tout puissant, Dieu éternel, qui par Jésus-Christ, ton Fils notre Seigneur, as guéri nos blessures, nous te prions et te supplions, nous tes prêtres, pour que tu daignes écouter nos prières et remettre tous les crimes et toutes les fautes. Daigne accorder à ton serviteur N. le pardon et non le supplice éternel, la joie et non la souffrance, la vie et non la mort, afin qu'il parvienne, soutenu par ta miséricorde, à la vie éternelle. Par le Christ notre Seigneur. »

3. LES MESSES PÉNITENTIELLES

Nous donnons ici deux formulaires de messes qui pouvaient être dites en équivalence du jeûne pénitentiel. Le premier formulaire se lit déjà dans le sacramentaire dit Gélasien ancien. Les deux sont empruntés au Pontifical romano-germanique du X° siècle.

1. Premier formulaire

Sacramentaire Gélasien ancien, I, 39 (éd. WILSON 65 ;
éd. MOHLBERG 57) et *Pontifical romano-germanique du*
Xᵉ siècle, nᵒ CXXXVII (éd. VOGEL-ELZE, II, p. 245 à complé-
ter avec les textes pp. 20-21).

Introït : *Délivre-moi de mes tribulations, Seigneur, vois ma
faiblesse et ma douleur. Pardonne-moi* (Ps. XXIV).

Collecte : *Dieu tout puissant et éternel, remets les péchés dans
ta miséricorde à ton serviteur ici présent, qui a confiance
en toi. Que sa conscience coupable ne le conduise pas au
châtiment, mais que ta miséricorde lui obtienne le pardon.*

Épître : Isaïe I, 16 (*Lavez-vous, purifiez-vous*, etc.).

Graduel : *Sauve ton serviteur* (Ps. LXXXV, 2).

Trait : *Seigneur n'agis pas avec nous selon ce que nous méri-
tons* (Ps. CII).

Évangile : Luc XVIII, 10 (péricope du pharisien et du publicain).

Offertoire : *Ayez pitié de moi, Seigneur* (Ps. L).

Prière sur les offrandes : *Fais, Dieu tout-puissant et miséricordieux, que cette offrande salutaire libère sans tarder ton
serviteur N. de ses péchés et le garde de toutes les embûches.*

Antienne de la communion : *Dieu, soyez propice à moi qui
suis pécheur* (Luc XVIII, 13).

Postcommunion : *Dieu, tout-puissant et miséricordieux, qui
veux guérir l'âme pécheresse et repentante et non la perdre,
regarde avec bonté sur ton serviteur et par le sacrement auquel nous avons goûté, détourne de lui ta colère et pardonne-
lui tous ses péchés.*

2. Deuxième formulaire

Pontifical romano-germanique du Xᵉ siècle, n. CXLVI
(éd. VOGEL-ELZE, II, pp. 277-278).

Introït : *Tu es juste, Seigneur, et tes jugements sont équitables.
Traite ton serviteur avec indulgence. Ps. Heureux ceux qui
restent purs* (Ps. CXVIII).

Collecte : *Accorde-nous, Seigneur, d'être miséricordieux pour ton serviteur N. comme tu l'as été pour le publicain qui t'a prié et a confessé sa faute. Écoute avec bienveillance les prières de ton serviteur, afin qu'il continue de vivre dans la pénitence et, par sa prière ininterrompue, sollicite ton pardon sans retard. Que, réadmis au sacrement de l'autel, il bénéficie de nouveau de la grâce céleste !*

Épître : *Frères, si nous vivons d'après l'esprit, conduisons-nous de même* (Gal. v, 25 — vi, 2).

Graduel : *O mon Dieu, sauve ton serviteur qui espère en toi. Prête une oreille attentive à ma prière.*
Alleluia. Seigneur exauce ma prière et que mes cris parviennent jusqu'à toi. Alleluia !

Évangile : *Deux hommes montèrent au Temple, l'un un pharisien, l'autre un publicain* (Luc xviii, 9-14).

Antienne de l'offertoire : *Il est bon de se confier au Seigneur et de chanter ton nom, Dieu Très-haut.*

Prière sur les offrandes : *Reçois, Père très miséricordieux, ces offrandes de louange et de paix que moi, pécheur et serviteur indigne, j'ose offrir en l'honneur et à la gloire de ton nom, pour le salut de ton serviteur N. Qu'il obtienne le pardon de tous ses péchés !*

Antienne de la communion : *Voyez et constatez combien le Seigneur est bon. Heureux l'homme qui espère en lui !*

Postcommunion : *Puissent nous purifier, nous t'en supplions, Seigneur, les sacrements auxquels nous venons de participer. Délivre ton serviteur N. de tout lien du péché. Malgré les remords qui le tenaillent encore, puisse-t-il se réjouir pleinement de la guérison !*

VI

LES CONFESSIONS
NON CHRÉTIENNES

L'aveu n'est pas une pratique spécifiquement chrétienne, ni du point de vue rituel ni du point de vue ascétique. Il n'existe pas de religion où l'accusation des fautes ne figure parmi les obligations du fidèle, et ceci bien avant la diffusion du christianisme et en dehors de son aire d'influence. Une donnée élémentaire en psychologie veut que le fait de « dire » ses fautes, et de les dire surtout à une personnne autorisée, procure la libération intérieure, rétablit l'équilibre psychologique et protège des influences néfastes. Tous les cultes et toutes les thérapeutiques de l'âme sont ici d'accord. Les témoignages sur ce point sont innombrables. Nous en citons trois de provenance très diverse. Un texte de Juvénal (vers 60-130/140 de l'ère chrétienne) suppose une confession de la matrone romaine au prêtre d'Osiris L'épisode rapporté par le poète implique aussi la commutation pénitentielle. Dans un contexte spirituel entièrement différent, le patimokka des moines, qui est l'un des plus anciens textes bouddhiques qui nous soit conservé, est le pendant exact de nos livres pénitentiels. Il en va de même d'une exhortation jaïniste à la confession.

1. *CONFESSION AU PRÊTRE D'OSIRIS*

JUVÉNAL, *Satire* VI, 532-541. (Éd. P. de LABRIOLLE et Fr. VILLENEUVE, Collection des universités de France [collection Budé], Paris, 1941, p. 80.)

« Or donc celui qui mérite les suprêmes honneurs, c'est ce personnage qui, escorté de ses disciples à la tunique de lin et au crâne tondu, parcourt la ville travesti en Anubis et riant sous cape des lamentations du peuple ! C'est lui qui demande le pardon pour l'épouse quand, aux jours sacrés et de stricte observance, elle a dormi avec son époux. Cette violation du lit conjugal mérite, en effet, un châtiment sévère ! On a vu le serpent d'argent remuer la tête. Les larmes et les prières appropriées du prêtre ont pour effet qu'Osiris ne refuse pas son pardon à cette faute : une oie d'une belle taille, un mince gâteau suffisent à corrompre le dieu. »

2. UN LIVRE PÉNITENTIEL BOUDDHIQUE

Extrait du *Patimokkha des moines* (canon pali) dans la traduction de H. KERN, *Histoire du Bouddhisme dans l'Inde* (trad. fr. par G. HUET dans la Bibliothèque d'Études des Annales du Musée Guimet, Paris, 1903, t. II, pp. 78-119) citée dans R. PETTAZZONI, La *confession des péchés* (trad. fr. par R. MONNOT), II, Paris, 1932, pp. 142-163.

Introduction

Si quelqu'un a commis une faute, qu'il l'avoue. Sinon qu'il se taise. De votre silence, vénérables frères, je pourrai conclure que vous êtes purs. Dans un réunion comme celle-ci, chaque question a été faite trois fois. Si quelqu'un, après qu'une question a été faite trois fois, évite, de propos délibéré, de confesser sa faute, il se rend coupable d'un mensonge prémédité. Or, un mensonge, vénérables frères, est un empêchement pour le Dharma (devoir fondamental), a dit notre Seigneur. C'est pourquoi un moine qui a conscience d'avoir commis une faute, et qui veut se purifier, doit s'avouer coupable ; il aura ainsi l'âme en repos.

Fautes graves et inexpiables, ou fautes capitales

1. Quand un moine, qui s'est engagé à vivre conformément aux règles de la discipline monastique, sans avoir (formellement) renoncé à cette discipline et avoué publiquement sa faute (c'est-à-dire sans avoir quitté spontanément l'ordre religieux), a des rapports charnels avec un être du sexe féminin, à quelque espèce qu'il appartienne, il commet un péché mortel.

2. Quand un moine dans un village ou dans un désert s'approprie, comme un voleur, une chose qui ne lui a pas été donnée, de sorte que la justice pourrait le faire arrêter afin de le faire mettre à mort, de l'emprisonner ou de l'exiler en déclarant qu'il est un brigand, un imbécile, un sot, un voleur ; il commet un péché mortel.

3. Quand un moine tue un être humain de propos délibéré, ou cherche un porteur de poignard (pour faire tuer) quelqu'un, ou fait devant quelqu'un l'éloge de la mort, ou exhorte quelqu'un à mourir en disant : « Mon ami, à quoi bon cette misérable et pitoyable vie ? Mieux vaut pour vous être mort que vivant » ; il commet un péché mortel.

4. Quand un moine prétend posséder une puissance surhumaine et l'intuition supérieure que donne une science universelle, tandis qu'il a personnellement la conscience qu'il ne les possède pas, en disant : « Je sais ceci et cela, je comprends ceci et cela » et quand, plus tard, trouvé coupable lors d'une enquête ou autrement, il désire se purifier et déclare : « Vénérables frères, j'ai prétendu savoir ce que je ne savais pas, comprendre ce que je ne comprenais pas, j'ai proféré des sottises et des mensonges », alors sauf dans le cas où il aurait été sous l'empire d'une illusion, il commet un péché mortel.

Fautes graves expiables par une pénitence appropriée

1. La pollution volontaire, sauf pendant le rêve, est un délit qui a pour conséquence l'excommunication temporaire.

2. Quand un moine, cédant à son désir et animé d'une passion mauvaise, s'oublie jusqu'à toucher corporellement une personne du sexe féminin, de manière à lui prendre la main, la tresse des cheveux ou la saisir à quelque partie de son corps, c'est un délit.

3. Quand un moine, cédant à son désir et animé d'une passion mauvaise, parle à une femme en se servant d'expressions lestes qui se rapportent au jeu d'amour, tels qu'un jeune homme en emploie en parlant à une jeune fille, c'est un délit.

4. Quand un moine, cédant à son désir et animé d'une passion mauvaise, essaie de faire croire, en parlant à une femme, que c'est chose louable de satisfaire ses désirs, en usant de paroles qui ont rapport au jeu d'amour et dit : « Ma sœur, le service le plus excellent que vous puissiez rendre, c'est de satisfaire à cet égard une personne aussi morale, aussi chaste que moi », c'est un délit.

8. Quand un moine, méchamment, sous l'empire de la haine et du dépit, accuse faussement un autre moine d'avoir commis un péché capital, dans l'espérance de lui faire perdre sa chasteté et que, plus tard, lors d'une enquête ou autrement, il est prouvé que l'accusation était fausse et que le moine reconnaît son tort, c'est un délit.

10. Quand un moine essaie de troubler la paix de la communauté ou saisit l'occasion que lui offre un détail en discussion qui pourrait causer des discordes et s'y entête, les frères doivent l'exhorter à ne pas persister, en disant : « Vis en paix avec la communauté, vénérable frère ; c'est en pratiquant l'unité et la concorde en évitant les querelles et en suivant une même doctrine que la communauté demeure en paix. » Si le moine, ainsi exhorté, persiste dans son entêtement, il doit être exhorté trois fois à y renoncer. S'il y renonce après la troisième exhortation, c'est bien ; sinon c'est un délit.

Fautes à sanctions variables

1. Quand un moine s'isole avec une femme, en secret et dans un endroit caché qui est propre à ce but, et est vu ainsi d'une femme laïque digne de foi, qui l'accuse soit d'un péché capital soit d'une action punie d'exclusion ou bien d'une action à la suite de laquelle il faut faire pénitence, alors ce moine, s'il avoue, doit être puni suivant la classe du délit ; ou bien (s'il n'avoue pas), il doit être condamné d'après la gravité du délit dont la femme digne de foi l'a accusé.

Fautes de gravité moindre,
mais exigeant pénitence et absolution

Il faut faire pénitence :
1. Quand de propos délibéré on profère un mensonge.
2. Quand on tient des propos injurieux.
3. Quand on dit du mal d'un moine.
4. Quand un moine lit, littéralement, à une personne non consacrée, le texte de la loi.
5. Quand un moine dort pendant plus de deux ou trois nuits près d'une personne non consacrée.
6. Quand un moine dort près d'une personne du sexe opposé.
7. Quand un moine dit une allocution longue de plus de cinq ou six phrases, en s'adressant à une personne du sexe féminin, sauf en présence d'un homme capable de comprendre ce qui se dit.
8. Quand un moine déclare à une personne non consacrée qu'il possède des facultés surhumaines, même si c'est la vérité.
9. Quand un moine dévoile à une personne non consacrée, un péché grave d'un des frères.
10. Quand un moine creuse la terre ou la fait creuser.
11. Quand on endommage une plante ou une créature, quelle qu'elle soit.
12. Quand on accuse faussement autrui et lui cause du chagrin.
13. Quand on excite autrui au mécontentement et quand on murmure.
25. Quand un moine donne un vêtement à une religieuse qui ne lui est pas apparentée, sauf en cas d'échange.
31. Un moine qui n'est pas malade peut prendre un seul repas à l'endroit où l'on distribue de la nourriture ; s'il en prend davantage, il doit faire pénitence.
37. Quand un moine mange en dehors des heures prescrites.
50. Quand un moine, qui passe deux ou trois nuits dans le camp, va regarder la marche du combat, les avant-postes, la mise en ordre de la bataille ou la revue des troupes.
51. Quand on prend des boissons fortes ou du vin.

64. Quand un moine tient cachée, de propos délibéré, une faute grave d'un de ses frères.

74. Quand un moine par colère ou par dépit, donne un coup à un autre.

75. Quand un moine, par colère ou par dépit, lève contre un autre le poing fermé en manière de menace.

76. Quand un moine, sans fondement, accuse un autre d'une action qui a pour conséquence l'exclusion de la communauté.

77. Quand un moine met un autre moine dans un état d'âme désagréable, sans autre but que de lui faire passer un mauvais moment.

78. Quand un moine écoute en cachette des frères qui se disputent, se querellent et qui s'injurient, dans le seul but d'écouter ce qu'ils disent.

3. EXHORTATION JAINISTE A LA CONFESSION

Vavahara I, 34 (traduction française dans R. PETTAZZONI, *op. cit.*, II, p. 98).

Un moine qui a commis une faute et qui désire la déclarer doit, devant son maître et devant son directeur spirituel, quand il les voit, la déclarer, se confesser, se repentir, s'adresser des reproches, renoncer à cette faute, se purifier, former le propos de ne plus la commettre et se soumettre à la pénitence requise.

S'il ne voit pas son maître et son directeur spirituel, il doit se confesser à un autre membre de sa communauté qui soit versé dans les textes sacrés et dans la tradition ; (ou bien à défaut), à un membre d'une autre communauté, ou bien à un laïc qui suit temporairement le régime monastique, ou bien à un laïc ordinaire.

(A défaut de ces personnes), il doit aller hors (des lieux habités) et, se tournant vers l'orient ou vers le nord, touchant de ses mains jointes le sommet de sa tête dire : « Tel est le nombre, et telle est la nature de mes péchés ; j'ai péché de telle manière et tant de fois », (se confessant ainsi) aux saints sublimes.

APPENDICE

NOTE BIBLIOGRAPHIQUE

NOTE BIBLIOGRAPHIQUE

De nombreux travaux ont été consacrés à l'histoire de la pénitence au Moyen Age. Nous en citons ici les plus importants et les plus facilement accessibles, en ne retenant, sauf exception, que les ouvrages écrits en langue française.

1) *Ouvrages anciens (toujours à consulter, en raison de la richesse de la documentation)* :

E. MARTÈNE, *De antiquis Ecclesiæ ritibus libri tres,* éd. de Venise, imprimée à Bassano, 1788, 4 vol. in f°.

J. MORIN, *Commentarius historicus de disciplina in administratione sacramenti pænitentiæ tredecim primis sæculis in Ecclesia occidentali et hucusque in orientali observata,* Paris, 1651.

D. PETAVIUS (PETAU), *De pænitentia veteri in Ecclesia,* VIVÈS, 1622, t. VIII, pp. 177-196.

J. SIRMOND, *Historia publicæ pænitentiæ,* éd.P. DE LA BAUME, *Opera omnia,* Paris, 1696. t. IV, pp. 318-346.

2) *Ouvrages récents* :

E. AMANN, « Pénitence », *DTC,* XII, 1933, cc. 722-948.

A. BOUDINHON, « Sur l'histoire de la pénitence », *Revue d'histoire et de littérature religieuse,* II, 1897, pp. 306-344 et 496-524.

P. GALTIER, *De pænitentia tractatus dogmatico-historicus,* 2ᵉ éd., Rome, 1950.

P. M. GY, « Histoire liturgique du sacrement de pénitence », dans la *Maison-Dieu*, 56, p. 5-21.

J. A. JUNGMANN, *Die lateinischen Bussriten in ihrer geschichtlichen Entwicklung*, Innsbruck, 1932.

H. C. LEA, *A History of Auricular Confession and Indulgences in the Latin Church*, 3 vol., Londres, 1896.

B. POSCHMANN, *Die abendländische Kirchenbusse im frühen Mittelalter*, Breslau, 1930.

B. POSCHMANN, la *Pénitence et l'onction des malades*, coll. « Histoire des Dogmes », Paris, 1966.

H. RONDET, « Esquisse d'une histoire du sacrement de pénitence », *Nouvelle revue théologique*, 1958, pp. 561-584.

C. VOGEL, « Le péché et la pénitence. Aperçu sur l'évolution historique de la discipline pénitentielle dans l'Eglise latine », *Pastorale du péché*, Paris, 1961, pp. 147-234.

O. D. WATKINS, *A History of Penance*, 2 vol., Londres, 1920.

Les livres pénitentiels.

H.J. SCHMITZ, *Die Bussbücher und die Bussdisciplin der Kirche*, I, Mayence, 1883 ; II, Düsseldorf, 1898, rééd. Graz, 1958. Collection de textes ; classification erronée de certaines familles de pénitentiels.

F. W. H. WASSERSCHLEBEN, *Die Bussordnungen der abendländischen Kirche,* Halle, 1851. rééd. Graz, 1958. Collection de textes ; classification des pénitentiels meilleure que dans SCHMITZ.

G. LE BRAS, « Pénitentiels », DTC XII, 1933, pp. 1160-1179. La meilleure synthèse sur l'histoire littéraire des livres pénitentiels parue à ce jour.

Le milieu :

L. GOUGAUD, *Les chrétientés celtiques*, Paris, 1911.

L. GOUGAUD, *Gaelic Pioneers of Christianity. The Work and Influence of Irish Monks and Saints in Continental Europe,* Dublin, 1923.

A. MALNORY, *Quid Luxovienses monachi discipuli s. Columbani ad regulam monasteriorum atque ad communem Ecclesiae profectum contulerint*, Paris, 1894.

Les commutations pénitentielles :

C. VOGEL, « Composition légale et commutation dans le système de la pénitence tarifée », *Revue de Droit canonique,* VIII, 1958, pp. 289-318 ; IX, 1959, pp. 1 et ss.

C. VOGEL, « La discipline pénitentielle. Le dossier hagiographique », *la Revue des Sciences religieuses*, XXX, 1956, pp. 1 et ss.

Les rites de la pénitence :

En plus des travaux déjà cités de P. M. GY et J. JUNGMANN, voir aussi C. VOGEL, *Les rites de la pénitence publique aux* X[e] *et* XIe *siècles,* dans les *Mélanges offerts à René Crozet,* Poitiers, 1966, pp. 137-144.

La confession aux laïcs :

A. TEETAERT, *La confession aux laïcs dans l'Église latine depuis le* VIIIe *au* XIVe *siècle*, Paris, 1926.

La pénitence au XIIe *siècle :*

P. ANCIAUX, *La théologie du sacrement de pénitence au* XIIe *siècle*, Louvain, 1949.

K. MÜLLER, *Der Umschwung in der Lehre von der Busse im 12 Jh. : Festschrift F. Weizsaecker*, 1892, pp. 292-320.

C. VOGEL, *Le pèlerinage pénitentiel : Atti del IV° Convegno di Studi*, Todi, 1963, pp. 39-94.

TABLE DES MATIÈRES

PRÉSENTATION

TEXTES

ACHEVÉ D'IMPRIMER PAR
L'IMPRIMERIE CH. CORLET
14110 CONDÉ-SUR-NOIREAU

N° d'Éditeur : 5821
N° d'Imprimeur : 1044
Dépôt légal : septembre 1982
Précédent dépôt : 1er trimestre 1969

Imprimé en France

.

IMPRIMATUR :

Strasbourg, le 30 décembre 1967, E. FISCHER, V.G.

CHRÉTIENS DE TOUS LES TEMPS